TRENTE ANS
DANS LA PEAU

Composition et montage : Motamo Laser + inc.
Maquette de la couverture : Raymond Martin
Impression : Ginette Nault et Daniel Beaucaire
Distribution : Diffusion Prologue

Cet ouvrage a été rendu possible grâce à des subventions du ministère des Affaires culturelles du Québec et du Conseil des Arts du Canada.

Dépôt légal : B.N.Q. et B.N.C., 3e trimestre 1990
ISBN : 2-89031-105-8
Imprimé au Canada

Pierre Monette

TRENTE ANS
DANS LA PEAU
roman

Triptyque

à Monique Verschelden
et Anne-Marie Cousineau

*Les choses, cependant, se passent
rarement comme vous les aviez comprises.
En général, elles passent plus ou moins
à côté [...], et puis elles continuent
d'errer ailleurs.*

Lorrie Moore
Anagrammes

D'ABORD

...trop tôt

La noirceur recule lentement derrière la Montagne. Les buildings endormis du centre-ville frémissent dans les reflets du fleuve. La carcasse du pont Jacques-Cartier commence à se deviner contre le bleuissement pâle des petites heures.

Perdue entre l'autoroute et le fleuve, une cabine téléphonique; devant, sur l'accotement, une auto (des claquement secs sous le capot) à laquelle est attachée une remorque. Accoudée au téléphone, une jeune femme avale les dernières gorgées de café tiède de son thermos. La fraîcheur de l'aube vaut n'importe quel lavabo pour la défriper un peu de sa nuit blanche.

Un blouson pour homme, trop grand, sur un tee-shirt délavé, jeans usés, santiags écornés; petite, mince mais sans paraître fragile, elle aussi, *c'est à trente ans*, comme la chanson le dit, *que les femmes sont belles. Avant elles sont jolies...* Et puis le corps ne pose plus : il se défroisse dans le geste. Une nuit de plus; elle en a vu d'autres, des meilleures et des moins pires... Il ne s'agit pas de s'accrocher à quelque chose mais de décrocher du reste. Elle a les yeux gris.

Quelques camions rentrent vers Montréal. Dans l'autre direction des familiales matinales disparaissent vers la frontière. Leur samedi les attend sur le lac Champlain, par-delà l'horizon des usines qui dressent leurs enseignes sur la platitude de la banlieue.

Quarante heures, c'est cher la fin de semaine! se dit la jeune femme en s'allumant une cigarette de trop. Elle s'étouffe dans un frisson qu'elle reboutonne sous le cuir râpé de sa veste.

...plus tard

Philippe est étendu sur le ventre. Madeleine se lève en écrasant un dernier mégot. Le cendrier déborde. L'empreinte de son corps reste dans les draps défaits. D'habitude, elle s'endort malgré tout, aux petites heures, quand la fatigue ne permet plus de voir plus loin que le bout de son nez éclairé par le lent clignotement de la cigarette qui s'achève.

Dehors, la chaleur finit de balayer les odeurs de la noirceur. Les bruits sont rares : samedi pour le reste du monde.

Madeleine danse entre les craquements du plancher en ramassant ses vêtements éparpillés dans la chambre. Solide, la fille! et grande. De la santé! Du ski en hiver, de la natation en été mais, depuis le temps, elle a un peu arrêté... Enveloppés de paresse, ses mouvements sont en retard sur le geste.

Elle retrouve sa jupe sur une pile de bouquins que Philippe ne finit jamais de lire, signettés de lettres par avion : des nouvelles d'amis qu'il a finalement perdus de vue. La tablette sur laquelle il se promet à chaque fois de leur répondre est remplie de premières pages : rien d'autre qu'une date et un «Salut Gérard» ou Michel, Susanna ou Jeanne... Il en a finalement adressée une à Laurent en Argentine, mais elle est toute chiffonnée : ça fait des mois qu'il oublie de la poster.

Madeleine retrouve sa culotte sur la commode, suspendue à une vieille statuette de bronze : le forgeron lève de tous ses muscles un marteau au-dessus d'une enclume dont il ne reste que la trace ébréchée sur le socle. Celle-là, Philippe la garde dans sa chambre : c'est vrai que ça lui ressemble...

Elle hausse les épaules : à trente et quelques, pour un gars ça va, mais les filles, il nous reste moins de temps. Un de ces matins, comme ça... Un matin de trop, lui renvoie le miroir, comme à chaque matin. Disons trente ans, pour arrondir le chiffre de nos premières rides...

Laurent s'est enfoui la tête sous un oreiller. Au-dessus du lit, une vaste mappemonde rêve de voyages; le désordre de la chambre ne dit pas s'il arrive ou s'il s'en va. Des vêtements partout sur les meubles; il pige aussi dans le sac à dos ouvert dans un coin. Des cassettes, des livres, des cartes, des rouleaux de photos qui désespèrent d'être développés, des souvenirs et d'autres valises.

Susanna est déjà debout. L'échancrure de sa camisole se risque jusqu'à la rondeur du sein; la couleur de sa peau n'y est pas plus secrète qu'ailleurs — méditerranéenne comme son grand-père, jusque dans l'accent de ses gestes. Elle enfile un complet aux rayures patinées qui se souvient de l'homme à qui elle l'a emprunté. Une goutte amère, comme les meilleurs whiskies, son élégance a des airs d'habits du dimanche qui ne savent pas quoi faire du reste de la semaine. Quelques filons de gris affleurent dans ses cheveux.

Elle va vérifier par la fenêtre s'il va faire enfin aussi chaud qu'on le prévoit depuis quelques jours. L'humidité pèse sur les bruits qui furètent dans le quartier : ce n'est qu'un vieux chat tigré et teigneux. Il saute finalement sur le rebord de la clôture pour surveiller sa ruelle. La couronne vert-de-gris du pont Jacques-Cartier arrive en ville au-dessus des toits. Les logements d'en face sont éventrés de grandes plaies calcinées. Les balcons effondrés dans la cour, toutes les ouvertures sont condamnées, sauf une fenêtre au deuxième étage; la planche de contre-plaqué déclouée laisse deviner du bleu à travers le plafond.

À la porte de la chambre, Susanna fouille dans son sac : faute de mieux, elle choisit un bâton de khôl pour écrire sur le cadre :

on se téléphone

je repasserai

t'embrasse

Susanna

C'est cliché mais il est trop tôt pour faire mieux et elle dépose un baiser rouge sur le «t'embrasse».

Dans le salon, le tapis usé s'ennuie d'une ambiance mieux garnie. Il reste des trous pour les pattes des meubles qui ne sont plus là. Dans l'angle, une fenêtre donne sur la cour. Un fauteuil s'est réservé la meilleure place en face du système de son enseveli sous les pochettes de disque mal rangées. Des statuettes, aussi vieilles que cassées pour la plupart, s'empoussièrent sur une tablette qui court le long du mur jusqu'à la porte de la chambre de Philippe.

Madeleine la referme délicatement après avoir soufflé un petit bec dans la chambre. Son tailleur s'empêtre dans les faux plis de la mauvaise nuit qu'il a passée. Susanna doit se percher sur le bout des pieds pour effleurer d'un baiser la joue de sa grande chumme.

— La boutique ouvre à neuf heures le samedi aussi? demande Susanna, une fois rendues dehors.

— J'arrivais juste plus à dormir... Toi?

Leurs voix remplissent les moindres échos de la rue déserte.

— Les lendemains arrivent trop vite, lui sourit Susanna en s'accrochant à son bras.

(...auparavant)

— À chaque fois que Laurent revient, c'est comme si tout le temps qu'il avait été parti je réalisais que c'était aussi des six mois, des années de passées ici...

Une rougeur de soleil couchant illumine le paravent. Susanna est assise du bout des fesses sur le bord de la baignoire. La jupe retroussée haut sur les cuisses pour laisser ses pieds barboter à leur aise, elle regarde dans son café comme si c'était là qu'elle pouvait trouver les mots qu'elle cherche.

— Depuis trois semaines que je tourne en rond autour de mon désir...

— Qu'est-ce que tu attends? demande Madeleine.

Susanna recommence à lui savonner le dos.

— J'attends quelqu'un qui saura passer quelques bons moments dans ma vie, même si c'est juste pour un soir, juste pour ce soir, peut-être demain aussi... Même juste un matin, c'est une nuit de gagnée.

— De gagnée sur quoi?

— Je sais pas... Sur mes trente ans peut-être... J'ai pas envie d'être amoureuse...

— On dit ça : moi non plus...

— ... seulement d'être bien.

— C'est rare qu'il suffise d'un soir pour ça. Ça se fait pas du jour au lendemain.

— Mais ça commence au jour le jour! De toute façon...

Susanna finit de rincer le dos de Madeleine.

— De toute façon quoi? insiste Madeleine en se retournant.

— C'est mes superstitions, tu le sais...

Elle lui tend la serviette vers laquelle Madeleine étire le bras.

— Il y a pas de rencontres sans surprise. Alors je préfère commencer par pas y croire. Si je regarde pas devant moi, je vais peut-être me cogner le nez sur l'homme de mon soir.

Madeleine sort de la baignoire.

— Il faut encore qu'il y en ait un dans le chemin! remarque-t-elle en s'enveloppant de la serviette.

— Le hasard, c'est trop beau pour qu'on aille se mettre dans ses pattes. J'aurais trop peur de lui donner une jambette en voulant marcher avec lui.

— Tu pars pas très confiante.

— Non, je suis juste... disons disponible...

— Et tu penses que c'est assez, surtout juste pour un soir?

— D'abord un soir, précise Susanna. Faut au moins se donner le temps de voir ce que ça donne le lendemain.

— O.K., comprend Madeleine : l'aventure mais steady.

— Un amant, si le mot avait moins de rides. On va voir. De toute façon...

Le sourire de Susanna ne veut pas en dire plus, pas pour le moment en tout cas.

— Toi, tu m'as l'air de la fille qui sait un peu ce qu'elle s'en va voir...

Madeleine s'assoit à côté de Susanna.

— Ben, je sais pas là... fait Susanna. Je sais pas trop mais, depuis qu'il est revenu...

— Laurent!

— Je sais pas... insiste Susanna. Il y a ce charme qui est là depuis longtemps, depuis qu'on se connaît, on le sait... C'est la même chose, sans insister plus que d'habitude sur le désir qu'il y a quand n'importe quel charme se pointe le bout du nez, mais autant, et un peu plus, c'est différent en tout cas, je sais pas... C'est là depuis qu'on s'est embrassés à l'aéroport, comme s'il y avait tout d'un coup une caresse dans ce qui est pourtant les mêmes gestes de tendresse qu'auparavant...

— Laurent! Depuis le temps qu'on le connaît!

— Pourquoi pas! se défend-elle. Tu peux bien parler, toi! Depuis le temps qu'on le voie tout juste quelques semaines par année... À ce rythme-là, ça fait peut-être six ou sept ans qu'on le connaît mais j'ai calculé que ça fait rien qu'une dizaine de mois qu'on le voie...

— Moi, les éternels voyageurs, là! voudrait tempérer Madeleine.

— Toi, tu es trop bien dans tes meubles! N'empêche que le voyageur, tu l'as attendu plus souvent qu'à ton tour...

— Il a maigri depuis la dernière fois...

Comme si cela avait quelque chose à voir...

— Pas Marc en tout cas : lui, il grossit depuis une couple de mois... Comment il va, lui? demande Madeleine.

— Je sais pas comment il va mais je trouve qu'il s'en va nulle part...

Susanna cherche ses cigarettes. Le paquet est trop loin : elle doit se lever.

— Faut pas être injuste, Susanna. Il fait son bout de chemin, et puis c'est peut-être seulement parce que c'est pas le même chemin que le tien que tu trouves que c'est à côté de la track.

Susanna l'a laissée dire, le temps d'allumer sa cigarette.

— On pourra pas revenir ensemble avec les minouches-minouches du bon vieux temps.

— Je le sais, concède Madeleine, mais ça vous mènera pas tellement plus loin.

— C'est pas d'hier, Madeleine, qu'on a décidé que c'était une relation... une relation privilégiée mais non exclusive, comme ils disent, mais...

— Mais c'est pas chez vous que tu donnes rendez-vous au non-exclusif, par exemple!

— À chaque fois, c'est rien qu'à deux que ça se passe...

Elle s'essuie les pieds sur le tapis de bain.

— En es-tu si sûre que ça?

— Je suis sûre que c'est ça que je veux en tout cas avec Laurent. Je dis ça, se reprend Susanna, mais on verra, hein, je sais pas...

Madeleine n'est pas prête à vraiment comprendre ; elle plonge la main pour tirer le bouchon la baignoire.

— Comment... Comment il est, Laurent? demande Susanna.

— Tu le connais, c'est pas le tour du monde qui va le faire changer...

Madeleine s'égoutte les doigts au-dessus de l'eau.

— Au lit, je veux dire, précise Susanna en lui tendant un essuie-main.

Le temps de chercher ce qu'elle pourrait bien répondre, la pudeur de Madeleine est sauvée par la sonnette. D'un grand geste dans la direction de la porte, Madeleine signifie à Susanna qu'elle n'a qu'à aller voir.

Susanna récupère ses sandalettes et le spencer de toile assorti à sa robe. Les doigts noués dans les boutonnières, elle effleure la joue de Madeleine en passant.

— Bonne soirée! lance-t-elle dans le coup de vent qu'il reste de Susanna.

Elle l'entend qui crie dans l'escalier de l'attendre, qu'elle n'a que son sac à prendre...

...maintenant

Une dizaine d'étages sous la fenêtre, le damier des toits s'éloigne jusqu'aux rives de la banlieue. Le fleuve frémit sous une fine couche de grisaille qui flotte entre la ville et le bleu blanchi du ciel.

Deux grands tableaux se font face de part et d'autre de la chambre : deux esquisses de personnages, des masses de couleurs informes. La fille pourtant, c'en est une, pourrait ressembler à Susanna.

Elle se dirige vers le lit qui trône au milieu de la pièce. Il y a déjà quelqu'un, trop enroulé dans la douillette pour avoir bien dormi. Susanna se glisse à côté de lui en prenant juste la précaution d'enlever ses souliers. L'homme se dégage de son cocon de couvertures pour l'accueillir en l'enlaçant mais il la repousse tout à coup quand il réalise que toute la nuit a fini par passer sur son absence.

On s'endort dans la confiance de l'autre et voilà qu'on se réveille quand elle revient, le lendemain. Il suffit de cet instant que le sommeil pose entre la veille et aujourd'hui pour qu'une histoire de couple s'empêtre dans les beaux draps de ses inquiétudes. On ne peut pas toujours téléphoner pour donner l'adresse de ce qu'on va faire de sa nuit, ou bien on ne veut plus : le même mauvais sang noue les tripes quand on froisse la page du lendemain pour s'en faire une boule où la voix étrangle sa retenue.

Assise au centre du lit, Susanna fait écumer les draps avec la tempête que ses gestes agitent dans leur histoire : si elle est revenue, ce n'est sûrement pas pour compliquer les choses.

Nu, le poing crispé sur une cigarette, Marc marche d'un bout à l'autre de la pièce sans rien dire depuis tantôt. D'un doigt, il accuse le froissement des vêtements de Susanna.

Si c'est rien que le complet qu'elle lui a emprunté, elle le lui redonne! Susanna retire le veston pour le lancer en boule dans la direction de Marc. Elle se lève mais le temps de faire glisser le pantalon, elle n'a plus envie de tout ce cinéma.

Elle rejoint Marc pour le serrer contre elle. Lentement, les bras de l'homme répondent au geste et il finit par enfouir ses larmes silencieuses dans le cou de Susanna.

La jeune femme s'est endormie par terre, adossée contre la cabine de téléphone. La chaleur qu'on a annoncée pour aujourd'hui commence à cuire le cuir de son blouson. Mais la nuit qu'elle a dans le corps a été trop longue. Ce n'est pas seulement la route qu'elle a derrière elle, c'est tout le chemin qu'elle a fait pour en être rendue là, au même point, qui lui glace les os.

Dans l'auto, le gazouillement d'un enfant la fait enfin sourire quand elle se penche par la vitre pour lui chantonner un «Good morning!...» enroué.

— Quoi?... What?... essaie de comprendre Philippe.

Il rapproche le téléphone tout en se dépêtrant des couvertures dans lesquelles il s'est enroulé.

Plus lourd que gros, massif, court, la force de ses muscles fait dans ses gestes l'effet d'un chat dans la gorge. Sa barbe d'hier aurait trois jours sur bien d'autres joues.

— Non, non, je paressais, là...

Mais son mâchonnement ensommeillé n'est pas tellement convaincant.

Il regarde autour de lui. De l'autre côté du lit, il ne reste que l'odeur de Madeleine, mêlée à celle des cigarettes de ses insomnies qui ne sont que sa façon de prendre la vie. Mais c'est tout un : un halo d'absence dans les empreintes moites du drap.

Philippe entend un tango dans le froissement qui lui colle à la peau. *Si vieras la catrera como se pone cabrera cuando no nos ve a los dos. Si tu voyais le lit comme il est tout retourné de ne plus nous voir ensemble.* Il faut prendre la vie comme elle vient, comme elle va, prendre les choses comme elles passent. Les prendre avec d'autant plus d'empressement qu'elles ne font que passer. Avec des envies de nids d'amour qui sont celles d'un moineau au pied d'un réverbère. Un piaf, oui...

Ni dentelles, ni promesses mais douceurs et fleurs de macadam. Avec de la nuit jusqu'au bout du désir. On se méfie autant du coup de foudre (car il faut qu'il y ait de l'orage dans l'air) que des promesses qui riment avec amour. Évidemment, ce n'est pas comme ça qu'on peut faire sa vie mais on peut en faire un bout... Ce qui est déjà pas mal à côté de tout le temps qu'on perd à lui chercher un sens.

On s'allume une cigarette, celle des amours à bouts filtres qu'on écrase dans le cendrier de la nuit et qu'on rallume le lendemain. Nos brûlures sont des briquets jetables et nos tendresses, des précautions contre le feu. On arrête de fumer entre chaque peine d'amour; on recommence quand on retrouve les bars et les whiskies d'un soir. Avec cette envie de se fermer le coeur comme un poing dressé à la face de l'amour et qui éclate dès qu'on y touche, qui s'ouvre pour prendre par la main le moindre signe de bienvenue. Mais il y a le lendemain, un matin, ce matin.

– D'où est-ce que tu m'appelles comme ça? demande Philippe en se secouant des fantômes qui hantent ses draps.

Ce qu'il entend à l'autre bout du fil finit de le tirer du lit.

Laurent enfile un pantalon froissé pour sortir de sa chambre. Il attache ses cheveux avec un gros élastique qu'il trouve sur la table.

La cuisine est dans un désordre qui manifeste plus de laisser-aller que de mauvaise volonté. On a beau s'être échiné depuis des années sur le partage des tâches, la propreté d'un lavabo, le comptoir, la cuisinière, le frigo, les miettes sur la table et le plancher : c'est dans la cuisine qu'on devine s'il y a une femme dans la maison.

Il récupère les couverts du déjeuner pour les rincer au-dessus de la vaisselle de la veille. Sa maigreur fait des noeuds dans la souplesse de son corps. Il est plus vif que solide. Une pelle d'une main, un bouquet de fleurs dans l'autre, on ne saurait pas de quel côté il se donne un personnage. Mais jardinier ou fleuriste, il a beau faire attention, ses gestes ont toujours un peu les ongles sales.

Il ne fait pas encore si chaud que ça, finalement. En revenant dans sa chambre pour aller prendre un tee-shirt sur la commode, il découvre le petit mot de Susanna. Il colle sa joue contre le cadre de la porte. Le baiser laisse une ombre rose sur sa peau.

On ne peut pas s'empêcher d'espérer des lendemains au désir. Il y a à chaque fois quelque chose qui se dessine au-delà de l'instant, qui déborde ce qui est simplement là pour le moment, comme si c'était à chaque fois pour toute la vie, même si une vie peut ne durer qu'une nuit. Ou bien c'est qu'on donne à nos vies des chances de chat...

Ce n'est jamais évident de se retrouver dans un lit avec la même amie pour qu'elle devienne une amante. Il y a, comme ça, la tendresse qui ne sait plus trop où se mettre entre le désir et l'affection, et c'est le même geste qui bascule du côté de la caresse.

(...auparavant)

Assis dans le lit sous la lueur qui arrive de la fenêtre avec les rares bruits de la nuit, ils laissent juste assez de place entre eux pour que leurs gestes puissent faire attention à leurs cigarettes.

— Mais ce désir, tout à coup? s'étonne Laurent.

Il en dessine le contour sur le sein de Susanna.

— Il y a peut-être pas d'autre réponse qu'à l'avoir deviné depuis le début en train de couver sous la connivence, propose Susanna : comme si c'était impossible de trouver autre chose au fond entre un gars et une fille...

— Et s'il y avait pas autre chose, au fond. Je veux dire, on a tellement espéré des rapports différents entre nous, les gars, les filles, qu'on s'est peut-être obligés à fermer les yeux sur ce qui est le fond de l'affaire, sans pour autant être celui du problème : le charme! Juste dire qu'on est content de se revoir, ça regarde déjà pas mal du côté désir. Le changement escompté serait juste un détour plus ou moins long pour se contenter de voir les mêmes choses autrement.

— Tu es toujours en train de nous inscrire quelque part dans l'histoire, toi. Tu trouves pas qu'on vieillit assez comme ça?

— C'est peut-être une façon de voir qu'on vieillit pas pour rien!

— Peut-être...

— Il faut que j'y aille, Laurent, lui rappelle Susanna.

Mais c'est surtout afin de se le rappeler à elle-même. Elle se lève pour commencer à rapailler ses affaires.

...encore

Marc pourchasse Susanna dans le corridor où défilent d'autres tableaux semblables à ceux de la chambre, comme autant de portes imaginaires qu'on ne peut se risquer à ouvrir. Au bout du couloir, elle finit par se réfugier dans la salle de bains.

Elle ouvre les robinets de la baignoire à plein régime pour ne plus entendre Marc. Il essaie de faire sauter le verrou. Après un moment, il arrête de gueuler sur un dernier coup de poing dans la porte.

Seul avec son pain et son café, il n'y a qu'une seule autre chaise en face de Laurent. Pourtant la pièce est assez vaste pour se souvenir des grandes familles autour de la table mais, dans les armoires, les réserves ne dépassent plus tellement le quotidien célibataire.

Philippe approche ses pas endormis en adressant vers Laurent un marmonnement qui voudrait se faire passer pour un bonjour. Laurent ne prend pas le temps de finir la gorgée de café qu'il a sur les lèvres .

— L'appartement d'en haut, qu'est-ce qu'on va en faire?

Philippe doit s'asseoir et se replacer les esprits avant de répondre.

— Le rénover?

C'est ça que Laurent veut savoir?

Philippe se relève pour échanger la tasse déposée devant lui contre sa préférée qu'il doit nettoyer dans l'évier. Ça fait bien trois ou quatre mois que Laurent est là mais il n'a pas encore compris que sans sa tasse à lui, la journée de Philippe ne commence pas de la même façon. Il a plein de petites habitudes comme celle-là qui lui permettent de penser à autre chose au-dessus des gestes sans importance de l'ordinaire. Sauf qu'il ne peut plus faire autrement que les endosser s'il veut que la journée se tienne debout.

L'appartement du dessus est libre depuis quelques semaines. Philippe n'a pas couru de nouveaux locataires. Il ne prévoit rien de bien important comme travail jusqu'au début de l'automne. Le printemps a été assez payant. La saison s'est donnée des airs d'été très tôt cette année. Alors, il pourrait en profiter pour rénover l'étage qu'il n'habite pas dans sa maison.

— Je vais avoir besoin de toi, précise Philippe en se versant du café.

Après une première gorgée, sa voix se dérouille enfin assez pour commencer la journée.

— Bonjour...

— C'est parfait! conclut Laurent, les yeux levés sur le travail qui les attend au-dessus de leurs têtes.

— J'ai pas entendu partir Madeleine à matin, grogne Philippe en essayant de défriper la nuit qui lui colle au visage.

— Quand on est arrivés, vous étiez couchés...

Philippe baisse le ton en pointant la porte de la chambre de Laurent.

— Elle dort encore?

— Non, partie elle aussi. Je pense que j'ai entendu des bruits dans la ruelle, de bonne heure : ça dû les réveiller.

— Elle a dormi ici finalement!

Les autres fois, si elle venait, c'était pour passer un bon moment mais qui ne durait jamais vraiment jusqu'au bout de la nuit. Ça fait une bonne semaine maintenant que Philippe redécouvre sur le visage de Laurent cet air des lendemains de veille où l'amour nous colle une nouvelle odeur sur le corps. Avec Madeleine qui change de parfum à la fin de chaque flacon, c'est un peu la même chose.

On a beau faire, on a beau dire et bien se rappeler ce que Brel chante ensuite, quand il y a du désir qui revient faire sa place quelques fois de suite dans notre lit, ça en bouche un coin à nos prétentions volages : une boule de tendresse dans la gorge qu'on se plaît à flatter pour faire ronronner le chat de nos émotions.

Depuis qu'il est revenu, il s'en est passé des retrouvailles dans la chambre de Laurent, mais avec Susanna...

— Je me demande pourquoi elle restait pas les autres soirs...

Cela tracasse quand même Laurent.

— Regarde un peu plus loin que le bout de ton nez : pourquoi elle est pas restée elle non plus à matin?

Philippe sait pourtant que sa piste ne le mène nulle part, sauf à retrouver le tracas que son visage avait pu oublier depuis un instant.

— Je sais pas si je veux tellement le savoir : ça laisse un petit coin d'aventure d'un soir à chaque soir qui me laisse toute la place, et c'est pas si désagréable...

— C'est difficile de juste suivre le fil d'une histoire d'amour : on frappe toujours un noeud dans nos macramés émotifs.

Laurent le voit bien : le détour que prend l'embarrassement de Philippe cache autre chose.

— Mais il faut leur laisser de la corde à nos histoires d'amour!

— Oui, bien sûr, admet Philippe pendant que Laurent remplit à nouveau leurs tasses.

Susanna est immobile sous la douche. Les mains appuyées sur les tuiles, la tête penchée entre les bras, elle a oublié de se déshabiller. Sa camisole ajuste un moule pesant sur son corps. On devine avec plus de détails une rondeur bien en chair, bien dans sa peau.

On frappe calmement.

— Je... Je vais aller faire un tour... propose Marc, comme si c'était une solution.

Susanna se contente d'acquiescer pour elle-même. Elle attend que la porte se referme à l'autre bout du silence de l'appartement. Elle peut commencer à enlever ses vêtements trempés qu'elle laisse choir à ses pieds.

— J'ai reçu un coup de téléphone tantôt...

— Ça m'a réveillé aussi.

— Un coup plutôt dur...

— J'ai vu ça à ton air tout à l'heure.

Philippe fait attendre Laurent en se réchauffant les mains sur sa tasse.

— Je pense que tu vas être obligé de te chercher une autre place pour rester...

...ailleurs

Les mains de l'homme se crispent sur le volant. Il aurait pu se décider avant! La vieille Thunderbird s'engage sans ralentir sur l'accotement. L'auto secoue le ponceau étroit et fatigué qui traverse le fossé. De longues éclisses de bois roulent dans la poussière. La bagnole fonce sur une petite bande de terre qui s'avance dans le fleuve.

La ville s'étend dans le pare-brise. La chaleur vibre au-dessus de l'eau jusqu'à la hauteur des bâtiments du port. Les gratte-ciel attrapent de plein fouet un soleil plus transparent. La rumeur du fleuve contourne la voiture. De l'autre côté, dans la petite anse oubliée par le courant, une nappe verdâtre stagne en s'accrochant à la rouille des cochonneries qui surnagent.

L'homme retire ses lunettes de soleil. Le vent a ébouriffé ses cheveux encore blonds qui se découpent sur une saleté de gris. Malgré la bonne quarantaine d'années qui ont entrepris de fatiguer ses traits, ses épaules sont d'un équarrissage solide. Sous le veston usé, son torse fait bomber une chemise dont la blancheur en a eu pour sa journée, et sans doute aussi la nuit.

— What the fuckin' shit!

Il donne un coup de poing sur le volant. Les lunettes éclatent entre ses doigts.

L'homme se calme en s'occupant de ses éraflures, le temps de regarder autour de lui où est-ce qu'il s'est planté. Une voiture doit l'éviter en klaxonnant quand il reprend la direction de Montréal.

...ensuite

Les manches du blouson de cuir font de grands gestes en passant par la porte avant de s'affaler lourdement aux pieds de Philippe.

Le linge en boule dans les bras, il retourne au salon. Dans son dos, la jeune femme se met à chantonner sous la douche.

Laurent est dans le fauteuil avec la petite. Il la fait sauter sur ses cuisses; elle ricane, en redemande. Elle ne doit pas avoir deux ans; une frimousse d'enfant, comme celle de tous les enfants : il faut le savoir que c'est une petite fille...

...ici

L'homme revient vers la Thunderbird. Il ajuste de nouvelles lunettes de soleil sur son nez.

La rue Sainte-Catherine ouvre ses portes. Quelques employés dépoussièrent les entrées, d'autres attendent en jasant avec ceux des magasins d'à côté, le temps d'aérer un peu la boutique avant de commencer la journée.

Pourquoi est-ce aussi grand si c'est aussi vide! Ce matin, encore très tôt, dans l'autre direction, sur la frontière, c'était presque l'embouteillage...

Sur les trottoirs, des touristes traînent leurs petites familles devant les magasins de souvenirs. C'est tout ce qu'il reste de Montréal : des cendriers avec la Place Ville-Marie au fond... Avec un temps aussi beau, ils descendront peut-être voir si les cartes postales ont raison de faire une si belle image du Vieux-Montréal.

Même les autos se permettent à peine un chuintement sur la chaussée du samedi.

L'homme s'est procuré une carte de la ville. Il la déplie à côté de lui sur la banquette. En jetant un coup d'oeil à la ronde sur les noms des rues, il cherche où il se trouve. De là, il suit du doigt la rue Sainte-Catherine qui s'allonge tout droit vers l'est.

Il double tout le monde devant lui. Il a toute la place pour se presser. Ce n'est rien que la rue principale d'un gros village tranquille. Il va les retrouver...

...après

La jeune femme s'est enveloppée d'une longue serviette pour sortir de la salle de bains.

— Je m'appelle Jeanne.

Elle s'assoit par terre, à côté du fauteuil.

— Moi, c'est Laurent.

Il répète son prénom à la petite en appuyant sur chaque syllabe.

Jeanne défait sa serviette pour s'essuyer la tête.

— Kathleen...

Elle lui fait des «Picaboo...» derrière la serviette. Elle ne se gêne pas pour Laurent; elle ne le ferait pas pour rien au monde, semble-t-il. Ni lisse, ni lasse, *c'est à trente ans*, même si la chanson est égratignée et que le souvenir de l'enfant alourdit ses seins et son ventre. Le moindre de ses mouvements se dessine à fleur de peau. Si avant elle a été jolie et qu'après ça ne dépend que d'elle, les années peuvent attendre pour mettre sa jeunesse en quarantaine.

Laurent ne l'obstinera pas : l'idée qu'il peut se faire sur la facilité qu'elle montre à être bien dans sa peau en vaut le coup d'oeil.

— Sais-tu où est Philippe?

Elle cherche vaguement autour d'eux en réenroulant sa serviette autour d'elle.

– Je l'ai vu sortir : il doit s'occuper de la remorque.

Elle aurait dû y penser...

– Je me demande où il a mis mes affaires...

– Je pense que je l'ai vu les ramener dans sa chambre.

Sans avoir à attendre l'indication de Laurent, Jeanne se dirige vers la porte à l'autre bout de la pièce en retenant la serviette sur sa poitrine. Ça ne l'empêche pas de s'ouvrir dans son dos. Un reste de cambrure juvénile creuse deux fossettes sous les reins pour mieux relancer la rondeur des fesses.

Philippe a ouvert les portes de la remorque. Il s'assoit un instant devant les boîtes et les meubles.

La rue Dalcourt est étroite. Jeanne a été obligée de stationner l'auto sur Sainte-Rose, qui est un peu plus large. La maison de Philippe fait le coin. C'est pourtant la rue Sainte-Catherine au bout mais il n'y débouche qu'une ruelle entre deux magasins.

Les quelques arbres enracinés dans les pavés ne se remettront jamais de leur maigreur ; malgré les années, leurs branches ne s'ouvrent pas plus haut qu'à hauteur d'homme. À peu près toutes les façades de l'enfilade se sont offert un lifting de briques neuves ou bien nettoyées. La plupart des immeubles ne font pas plus de deux étages. Les portes battent directement sur les trottoirs. Il n'y a même pas de balcon pour un auvent, sauf au premier, par-dessus les passants.

Le quartier garde le souvenir de toute l'histoire de la ville. Elle résonne dans l'écho des portes cochères qui s'ouvrent quelquefois sur d'autres logements, derrière. Là, dans les cours, on retrouve la tranquillité originelle de ce qui n'était qu'un faubourg, quand Montréal ne portait son nom qu'à l'intérieur de la ceinture des fortifications. Ce qui reste de ce début du 19e siècle s'entasse sur des bouts de rues dont l'horizon est à la portée de la main. Ça date même d'avant les premières percées de la terrasse Ontario, et bien avant les fioritures victoriennes du Plateau quand on monte sur Sherbrooke. De la pierre, de la brique : la ville nue, qui n'essaie pas de s'en faire accroire à force de grands arbres et de petits parterres à l'ombre des escaliers.

Aujourd'hui, c'est plus paisible que les autres fins de semaine. Philippe est un des rares à ne pas profiter de la fermeture des chantiers pour aller chercher l'été ailleurs. De toute façon, c'est l'été qui les a rejoints, Jeanne l'a ramené des États-Unis.

Elle a remis son pantalon et fermé son blouson sur sa peau. Ce qu'elle pourrait trouver de plus léger à se mettre sur le dos doit être encore dans la remorque.

— Ça va, toi?

Elle grimpe sur le dossier d'une chaise que Philippe a descendue de la remorque.

— Je pense qu'il y a plus de raisons pour que ça soit moi qui te demande ça? fait remarquer Philippe en regardant les affaires empilées dans le U-Haul.

— Ça va rentrer, tu crois?

— Ce qu'on va faire pour commencer, dit Philippe en sautant de la remorque, c'est te dire que je suis très content que tu reviennes prendre ta place ici.

— Quelle place? demande-t-elle en l'enlaçant.

Il ajoute ses bras au geste de Jeanne.

— Beaucoup.

...plus près

Le policier penché à la fenêtre explique à l'homme, dans un anglais conciliant, qu'à Montréal, les limites de vitesse doivent être respectées.

L'homme est tout à fait d'accord et même prêt à s'excuser et à sortir tout de suite son argent si ça peut l'aider à se débarrasser de lui au plus vite.

...puis

Kathleen est endormie dans son petit lit. Les poings mollement refermés, elle ne s'occupe pas du remue-ménage autour d'elle. La chambre de Laurent déborde de boîtes et de nouveaux meubles entassés les uns contre les autres.

Dans le salon, sans chercher comment on pourrait mieux aménager le décor, Philippe tire les meubles sur le tapis et les pattes retrouvent leurs trous d'autrefois.

Jeanne rentre avec une boîte. Après l'avoir déposée quelque part, elle s'arrête un instant en s'accoudant sur l'épaule de Philippe.

— Tu es sûr que ça prend pas trop de place dans ta vie?

Madeleine écoute les messages sur son répondeur. Quatre fenêtres donnent sur la rue Saint-André, deux autres et une porte s'ouvrent sur le balcon au-dessus de la rue Marie-Anne. Le coin cuisine est délimité par des murs coupés à mi-hauteur. Pour la salle de bains, Madeleine a préféré des paravents. Son besoin d'espace prend beaucoup de place. De la lumière, de l'air! Même si ça coûte cher à chauffer en hiver!

Il n'y a rien de bien important dans la suite de bonjours bonsoirs qui demandent qu'on leur téléphone.

L'année passée a été dure mais, au moins, il en reste cet appartement. L'incendie avait été une catastrophe et Madeleine avait appris sa leçon. C'était même son principal sujet de conversation : il faut augmenter à chaque année la valeur de ses assurances pour qu'elles demeurent à jour avec le coût de la vie. Elle, ça faisait depuis qu'elle les avait prises, ces assurances, quatre ans auparavant, qu'elle ne les avait pas augmentées! Et en plus, la mort de son père! Mais total, assurances et héritage, elle avait quand même pu se payer cet appartement et le transformer en loft.

Un héritage confortable. Madeleine ne comprend toujours pas comment papa avait pu s'arranger pour cumuler autant d'assurances-vie, de bons d'épargne : un énorme bas de laine qui a passablement compliqué la succession. Encore maintenant, plusieurs mois après le décès de papa, maman se rappelle d'un compte quelque part dans une Caisse populaire et voilà que s'ajoutent quelques centaines, quelquefois un mille dollars de plus à se partager, sa mère et elle. Pourtant papa n'avait été qu'un simple commis au fond d'un couloir des services municipaux! Évidemment, pour la boutique aussi, ça avait permis de consolider son crédit.

L'incendie avait complètement détruit ses biens : de la plus petite culotte jusqu'au réfrigérateur, il avait fallu tout acheter à nouveau. Elle qui avait tant ramassé de vieilleries en valeur sentimentale. Madeleine s'est retrouvée du jour au lendemain sans rien derrière elle, sans souvenirs. Et ses parents non plus : l'essentiel de ses choses, c'étaient des cadeaux de mariage qu'ils lui avaient donnés quand elle était partie de la maison.

Il n'était pas très vieux, son père. Il n'avait profité que de deux années de retraite. Depuis quelques semaines, le plus troublant, ce sont les angoisses de jeune fille de sa mère, au téléphone, à propos de ce gentil monsieur qu'elle rencontre à ses réunions de l'âge d'or. Jeune veuf comme elle, et vraiment distingué, élégant, poli... Avec une amie, ça va toujours, les étalages d'états d'âme... Comme n'importe qui, sa mère a le droit de refaire sa vie; elle a même encore le temps d'en refaire un bon bout mais...

— Bonjour Madeleine, c'est Laurent...

Elle revient vers le répondeur.

— Qu'est-ce que tu fais de bon depuis qu'on s'est vus? Débordée, bien sûr! Le chum, la boutique et les importations, c'est important mais ça peut pas meubler toute une vie, hein? Alors, à quand un coup de fil et un petit bout de soirée ensemble? Bientôt? Je t'embrasse. Salut...

Le reste du ruban défile sur la nuit : il devait commencer à se faire trop tard pour qu'on la dérange.

Penchée au-dessus de l'appareil, ses gestes cherchent ses mots.

— Écoute-moi bien, commence Madeleine...

Elle fait signe à la machine de l'attendre.

Elle revient de la cuisine avec une bouteille de vin et deux verres. Elle se sert et elle dépose l'autre ballon à côté de l'appareil. Elle tire un petit fauteuil devant la table basse; elle tend le bras pour trinquer avec le verre qui attend.

— Je vais t'en apprendre une bonne, mon beau Laurent, depuis qu'on s'est revus chez mon chum...

Madeleine voudrait sourire...

...proche

Le samedi s'abandonne au béton. L'humidité plaque une lumière terne sur les briques usées. On dirait que c'est la même façade qui fait le tour du quartier. De temps en temps, le délabrement d'une maison retient mieux ses ruines que celles du voisin. Le quadrilatère se resserre sur des bouts de rues qui s'allongent sur pas plus d'un ou deux pâtés de maisons.

À chaque fois qu'il tourne un nouveau coin de rue, l'homme vérifie sur sa carte s'il ne revient pas sur un chemin qu'il aurait déjà tracé tout à l'heure. Tout ce qu'il sait, c'est que c'est dans ce carré-ci, défini à grands coups de crayon, au pied du pont Jacques-Cartier.

Une autre rue comme les autres mais l'homme gare la Thunderbird le long du trottoir. Il ramène du siège arrière une petite valise qu'il ouvre sur ses cuisses. Le fouillis de vêtements et d'articles de toilette ne prévoit pas qu'il restera plus de deux ou trois jours loin de la maison.

La photo qu'il approche de ses yeux et qu'il compare à la maison là-bas, au bout de la rue, cachait la crosse d'un Colt .45 qui s'est enfoui le nez entre deux chemises.

Colt Commander Vietnam réglementaire la mort autour dans la jungle et les ruines où les villages résistent encore on dirait que c'est la cendre et la poussière qui nous tirent dessus.

Sur la photo, Jeanne et Philippe posent en riant devant la maison comme neuve. Non : à peine une ressemblance avec la maison là-bas, qui déçoit au deuxième coup d'oeil...

L'homme accroche la photo aux pinces du miroir derrière le pare-soleil du passager.

Avant de fermer la valise, il replace l'automatique sur le dessus de la pile de vêtements. Le poids de l'arme laisse l'ombre d'une tache huileuse. Il dépose ensuite la mallette au pied de la banquette.

Laurent s'est installé sur le sofa. Il se donne la permission d'en fumer une autre; le premier mégot s'est tordu le cou dans le gros cendrier sur la table du salon.

— Cigarette?

Jeanne s'est arrêtée devant le décor que Laurent a planté dans la rue, au pied de la remorque : à côté du canapé, il y a même une lampe sur pied et le tapis est déroulé sous la table.

— Comment tu fais avec cette chaleur?

Le tee-shirt de Laurent est complètement trempé. De longues taches foncées traversent les jeans de Jeanne sur ses cuisses. Elle a retroussé les manches de son blouson sur ses avant-bras.

Le temps d'une première bouffée, Jeanne s'accroupit aux pieds de Laurent. Deuxième, troisième bouffée, elle sourit aux airs que se donne la rue.

— Tu as pas vu ça quand on est arrivés. C'était sale! *Avec un ciel si bas* de poteaux électriques qui faisaient chanter une chanson toute triste aux nuages sur la portée de leurs fils... Tout un travail! même si le prix de la maison en valait tout le trouble! Tu connais Philippe depuis longtemps?

— Ça va faire à peu près deux ans, mais ça fait juste trois ou quatre mois que je suis là.

Une bouffée ou deux...

— La petite, elle? demande-t-il.

— Elle dort comme une grande.

Jeanne s'accoude sur les genoux de Laurent.

— Moi, Philippe, ça fait bien dix, peut-être onze ans qu'on se connaît.

— Il a eu le temps de me raconter un peu l'histoire avant que tu arrives...

Les gars! Avec leur pudeur qui essaie de se faire accroire qu'ils ont tout compris à la première version!

Jeanne se détourne pour continuer de regarder ce qui a pu changer autour.

— Je reviens de bien plus loin que juste le temps que je suis partie, constate-t-elle pour elle-même.

— Et le père, lui?

Jeanne respire un grand coup mais l'explication s'essouffle dans un soupir.

— Le père, lui ou un autre, c'était le temps d'un enfant pour moi, mais le père, lui...

Elle cherche ses mots sur les façades, d'un bout à l'autre de la rue, peut-être même aussi sur le visage de Laurent qui n'en demande pas plus pour comprendre les larmes que la fatigue de Jeanne ne sait plus retenir.

Madeleine vide d'un trait un autre ballon de vin qu'elle remplit tout de suite et elle trinque une fois de plus avec celui qui reste à côté du répondeur.

(...auparavant)

D'autres verres s'entrechoquent en se mêlant aux rires qui se répandent partout dans l'appartement. Après avoir déridé la tablée pendant une bonne partie du souper, Laurent est le dernier à partir, assis dans le coin du sofa parmi les restes de la soirée. Madeleine partage avec lui le paquet de cigarettes qu'ils achèvent. La bouteille de porto aussi est presque vide.

— Maryse est pas venue à soir : elle va bien? demande Madeleine.

— Elle doit aller mieux : «ça irait mieux si on se voyait pas pendant un petit bout de temps», qu'elle a dit...

Laurent prend une dernière gorgée.

— Si on pouvait en rester là, en surface d'une autre histoire d'amour, au lieu de s'enfarger dans les sentiments...

Il écrabouille dans son poing le paquet de cigarettes finalement vide.

— Moi, je m'arrange sans trop de mal, remarque Madeleine, avec un laisser-aller qui va s'approfondissant quand le penchant devient plus prononcé...

— Philippe est vraiment un gars correct. C'est plus seulement un coloc : c'est un chum! On a tellement rêvés d'être la vague de fond qui allait changer le monde, qu'on a encore de la misère à se laisser porter par les choses qui viennent. On a beau s'être détachés de tous nos mirlitantismes, le granola et les grosses bottines dans la cave...

Il a quelques années de plus que Madeleine dans la profondeur que laisse son sourire sur la maigreur de son visage.

— Les bons souvenirs et les bons débarras ensemble...

— C'est vrai que le goût des vieilles affaires t'est passé comme il faut...

Laurent dépoussière négligemment le bras du canapé sur lequel il est appuyé.

— Quand on parle du bon vieux temps du macramé, continue-t-il, ça me fait toujours un noeud, là... On les a peut-être décrochés de nos portiques mais ils continuent de s'empoussiérer dans notre façon de se nouer les tripes avec nos amours comme des épouvantails dans le jardin des traîneries où germent les gâteaux aux carottes de

notre passé. Les émotions, on n'arrive pas à se les dé-
nouer, à se contenter de juste suivre le fil... Il est peut-
être trop tard!

Ça lui fait penser de regarder sa montre.

— Tu peux coucher ici, l'invite Madeleine en revenant sur le sofa.

— Oui, ça va faire l'affaire.

Il tapotte les coussins pour s'en convaincre. Madeleine va chercher des couvertures et un oreiller à l'autre
bout de l'étage où se trouve son lit. Elle hésite un moment devant le confort de ses draps : les marges de
l'amitié peuvent-elles s'accommoder de la largeur d'un
matelas...

— Quoi?

Laurent n'a saisi qu'un marmonnement.

— Tu éreinteras pas ta nuit sur un sofa fatigué
comme ça, s'inquiète Madeleine. Tu vas bien dormir, là?

— Bien sûr. Mais si ça te dérange, tu le dis, hein? Je
peux prendre un taxi aussi.

— Non, non : c'est pour toi...

Ils jasent encore quelques minutes avant de se séparer sur un petit bec. Une fois installés chacun dans ses
couvertures, ils se souhaitent « Bonne nuit » d'un bout à
l'autre de l'appartement.

C'est idiot d'avoir été si longtemps ensemble... Longtemps! Quelques années, c'est déjà un bon bout de
temps... Comme s'il fallait s'en convaincre encore... Mais
c'est fini, on le sait. Pourtant la complicité, et la soirée
aussi, c'était bien! Laurent est toujours aussi drôle,
nounours à rebrousse-poil, c'est son rôle! Il ne peut pas
s'en empêcher, il ne change pas, et plus personne ne
change tant que ça rendu à trente ans. Si on s'est rendus
jusque là... Qu'est-ce qu'on fait là? On ne peut pas
éteindre la lumière comme ça sur une présence.

Madeleine se relève. C'est ça, un homme : s'endormir
quand même!

Les lampadaires éclairent la pièce de carrés de lumière blanchâtre. Enveloppée dans sa douillette, Madeleine se demande encore ce qu'elle va faire : elle s'arrête à quelques pas de Laurent...

...pendant

— Mais là, je sais plus quoi faire avec ça. Et mon beau Laurent, c'est pas parce que c'est toi que c'est moins pire que si c'était un inconnu...

En reprenant la bouteille contre la patte du fauteuil après avoir calé son verre, Madeleine découvre qu'il ne reste que quelques gouttes de vin.

— Tu permets?

Elle s'étire vers le verre qui n'a pas été entamé. Elle doit se glisser par terre si elle ne veut pas tomber sur la table où elle redépose le ballon après une gorgée.

Jeanne pleure encore. Laurent lui a ouvert les bras. Elle s'y réfugie en s'y serrant comme si elle le connaissait depuis bien plus longtemps. Laurent voudrait s'excuser mais Jeanne le fait taire en frottant «non» avec la tête contre sa poitrine.

Philippe hésite en les voyant, sans plus trop savoir quoi faire des trois bières qu'il tient dans ses mains. Il fait bien trop beau pour *sangloter comme ça bêtement devant tout le monde* dans la rue, mais il n'y a sans doute rien d'autre à faire.

Susanna replace les choses renversées dans la chambre. Il fait de plus en plus chaud. Elle a ouvert la fenêtre sur l'horizon où les rives de la banlieue sont disparues de l'autre côté du frémissement de chaleur sur le fleuve.

Sa culotte ne monte pas aussi haut sur ses fesses que le cerne de blancheur laissé par le bikini. Devant, ses poils grimpent jusqu'au nombril. Des perles de sueur brillent entre ses seins menus, tassés, durs : deux poings fermés accrochés haut sur sa poitrine.

De plus en plus chaud. Cela la ralentit dans le ménage qu'elle voudrait faire. Même que ça ne lui tente plus du tout. Elle se contente de lancer un après l'autre dans les quatre coins de la chambre ce qui peut se trouver à la portée de sa main.

— Je l'aime... Je l'aime plus... Je l'aime...

Un matin de trop, la goutte, le vase, et la comparaison déborde pour noyer le quotidien. On est rendus au bout de notre rouleau. Il n'y a plus de fil pour notre histoire tendue au-dessus des rides où le couple compte ses années. Ou bien on en rajoute sur la poudre de riz pour se donner l'air et la chanson d'un funambule. Le couple se risque sans filet, les yeux bandés s'il le faut, pour les frissons qui font des oh! et des ah! devant l'amour aveugle : on tombera tous les deux et on fera de la bouillie ensemble, mon chou!

Ou bien on coupe, avec la bonté avec laquelle on achève bien les danseurs sur la piste usée des retrouvailles et des serments. Mais pourquoi avoir pris tant de détours pour en arriver au même point, un peu plus étourdis ou enivrés peut-être, mais au même point que les autres qui se contentent des trois petits tours de l'amour et puis s'en vont. Dans le cirque des tendresses, on se croit tout un numéro alors qu'on est seulement la femme à barbe qui partage ses rasoirs avec l'avaleur de couteaux.

Les couples durent rarement plus longtemps qu'un appartement, caméléons qui ne se remettent pas du changement de décor. Les petites tracasseries ne trouvent plus leur camouflage. On déménage quand on se laisse, d'accord, mais s'il s'agit un jour de d'abord déménager, c'est tout le quotidien qui ne se retrouve plus dans ses affaires, et ses affaires de coeur avec.

Eux, ça fait seulement quelques semaines qu'ils sont là. Leur désordre habituel n'a pas pris le dessus sur les apparences. Pourtant, en huit ans, on en ramasse des traîneries affectives, et des petits souvenirs et des petits câlins, des matins des matins et des matins d'habitudes et des lendemains qui se suivent...

Une fois débarrassée de tout ce qu'il y avait autour, Susanna achève de défaire le lit pour en éparpiller les draps.

— Je l'aime plus...

Téléphone! Elle doit chercher le temps de deux ou trois sonneries sous quel tas de linge il est perdu.

Adossée sous une fenêtre, son verre dans une main, Madeleine renifle la chaleur.

— Il va faire chaud, remarque-t-elle pour elle-même.

On l'a entendue à l'autre bout du fil.

— Toi aussi, hein?... C'est Madeleine... Oui, ça va : veux-tu un peu de vin? Attends...

Elle laisse le téléphone pour ramper jusqu'à l'autre ballon.

Susanna regarde son combiné comme s'il était capable de lui expliquer ce qui se passe.

— Oui, je suis là. Tu m'as l'air bien de bonne humeur à midi, toi!

Madeleine vérifie l'autre verre.

— J'ai bu dedans mais ça fait rien, je peux le rincer, et j'en ai d'autres à part de ça... Mais j'ai plus de vin...

Elle éclate de rire pour donner raison à Susanna.

— Oui, je pense que je suis un peu pompette... Fais-tu quelque chose après-midi, là?

— Ça pourrait aller.

Susanna s'en convainc devant le miroir en commençant à mettre de l'ordre dans ses cheveux encore mouillés.

— Chez vous?

Madeleine a perdu son entrain. Elle s'efforce de ricaner en gardant la même voix que depuis tantôt mais des larmes descendent sur ses joues.

— Oui, n'importe quoi de blanc ...

— D'accord. D'ici à peu près...

Susanna retrouve sa montre dans le fouillis sur la commode.

— À peu près dans une heure, une heure et demie?... À tantôt...

En déposant l'appareil, elle regarde une dernière fois le désordre qui va rester dans la chambre avant de balayer d'un grand geste les restes de la chicane qui s'étalent sur le bureau.

— Je l'aime plus...

Elle ne l'aime plus comme on s'éloigne sans se retourner, un exil de plus au compte de ses dérives, plus détachement que rupture. Tous les bateaux ne font rien que passer à bon port. Il a voulu descendre : c'est lui, cet appartement qui va le lier à ses fins de mois.

Leurs deux portraits se font face sur les murs de la chambre. Ils n'ont pas pu trouver d'endroit pour les mettre côte-à-côte de la même façon que dans l'autre logement. Depuis le début de leur histoire, ils se sont promenés à peu près d'un bout à l'autre de la ville. Le plus souvent, ils n'avaient pas pu faire autrement. Augmentation de loyer, le propriétaire qui reprend l'appartement : bien sûr! après tout le ménage qu'ils avaient dû faire pour le rendre un peu plus habitable... Cette fois-ci, ils voulaient peut-être enfin s'ancrer quelque part.

Comment peut-on être aussi longtemps dans la même direction, sur le même chemin et finir par se croiser chacun dans le sens contraire? On ne s'est pourtant à peu près jamais perdus de vue! On peut sans doute s'attrister à la fin de l'histoire mais c'était un si beau film! Il faut se quitter pendant que commence à défiler le générique des remontrances. La liste des figurants ne changera rien à la beauté des images.

Ce n'est pas Laurent non plus. Pas seulement Laurent. Il fallait juste une fin, même si elle est abrupte. Quelquefois, on n'en finirait pas de danser mais les musiciens se fatiguent et nous laissent nous embrasser avant qu'une autre pièce recommence le bal et qu'on se remette à tourner autour de nos amours jusqu'au dernier tcha-tcha!

Elle retrouve ses notes. Les disques sont déjà à la station. Enfin, le contrat! Radio-Can! Le cachet plus important après toutes ces années communautaires à tirer le diable des subventions par la queue. Bien sûr, Marc l'a soutenue, bien sûr, Marc a payé plus que sa part lors des fins de mois difficiles. Bien sûr, elle lui doit... Elle lui doit...

Elle ne sait pas! Il s'est fait un honneur de ne jamais calculer : il s'en rappellera assez pour mettre un prix sur ses raisons de chialer. Il peut même montrer les dents des intérêts, s'il le veut!

Ils ont gratté ensemble sur les semaines de leur quotidien. Bien sûr, maintenant, le nécessaire n'a plus besoin de se calculer encore en commun... La réussite! Bien sûr que ça donne un coup de main à la coïncidence. De toute façon, est-ce qu'on a vécu ensemble ou simplement fait coïncider nos existences dans le risque des indépendances, en faisant le choix de faire autant que possible une vie à deux plutôt qu'un petit coucouple.

Susanna veut continuer à vivre sans trop d'attaches mais voilà que cet appartement se referme sur eux, que Marc voudrait refermer la nuit sur leurs nuits justement quand Susanna finit un jour par l'ouvrir à ses propres attentes jusqu'à ce lendemain, ce matin. Ils ont essayé de laisser assez d'air du large dans leur histoire, assez pour respirer à plein poumons les moindres parfums de l'air du temps. Ils se sont mis le nez dans tous les détours qu'on a pu trouver pour chercher le bonheur, quelquefois jusqu'à ce que la senteur leur lève le coeur.

Mais voilà qu'elle a beau tourbillonner pour trouver d'où ça vient, cette odeur de rance, elle est sur eux maintenant et Susanna ne sait plus qu'est-ce qu'elle pourra se mettre sur le dos pour en changer. Les autres appartements n'ont jamais eu cette odeur. Les courants d'air sauvaient la fraîcheur de leur histoire et peut-être que, oui, une certaine difficulté à rejoindre les deux bouts de la semaine les retenait de buter contre les quatre murs du quotidien. Leurs jeudis se sont embourgeoisés, les lundis alignent moins d'incertitudes jusqu'à la trève de la prochaine fin de semaine et de la prochaine paye : c'est malgré elle qu'elle rue dans le conformisme où ils sont en train d'emménager, même si c'est pour renverser le confort avec.

Susanna choisit une ample blouse que le moindre souffle dans la chaleur pourra ballonner d'un peu de fraîcheur, et une jupe qui flotte de la même façon de partout. Noire. Un souvenir de cet été, il y a deux ans, sur la terrasse où elle arrondissait de pourboires les semaines de radio mal payées. Pour ce qui est de dimanche, elle se résigne à ce qu'elle peut trouver de moins froissable dans sa garde-robe pour le rouler dans son sac.

En refermant la porte de l'appartement, elle s'empêtre dans la poignée et les clés. Elle traverse le corridor du palier pour aller frapper à une autre porte. Une jeune femme vient voir qui c'est, étonnée de reconnaître Susanna. Sans rien dire, elle ouvre pour la laisser entrer. Le drap qu'elle a enroulé autour d'elle l'oblige à trottiner derrière Susanna.

Marc est étendu nu sur le lit défait. Susanna se plante devant la couche. La jeune femme reprend sa place. Une fois installée, elle ne sait plus quoi faire d'autre que de partager avec Marc le drap qu'elle ramène. La chambre n'est habitée que par le désordre qu'on peut laisser en passant quelque part. La seule commodité, c'est le lit. Des boîtes éventrées servent à empiler les traîneries.

Dans l'autre pièce, il n'y a qu'une seule chaise sur le carrelage nu, devant une table. De la vaisselle s'y empile, et des vêtements et de la paperasse qui croule autour d'un petit carré libre qui attend de se rendre utile. Rien sur les murs. Près de la porte d'entrée, deux grosses valises n'ont pas encore été complètement défaites.

Sur le chemin de la chambre, une mallette est ouverte sur des dossiers aux couleurs du pays, et d'autres avec des entêtes ministérielles africaines. Des piles chambranlantes de documents s'alignent le long du corridor pour finir répandues au pied du lit. Susanna avait les deux pieds dedans quand elle est entrée.

Elle s'assoit sur le bord du lit. La jeune femme en a assez.

— Bon! Écoutez : si vous avez quelque chose à régler entre vous deux, je vois pas qu'est-ce qu'on fait là tous les trois, et dans mon lit à part ça!

— C'est lui qui m'a déjà proposé de venir ici, à trois...

La jeune femme regarde du côté de Marc pour savoir, un peu offusquée, si c'est vrai.

Pour lui, le problème n'est pas là.

Lentement, du bout des doigts, Susanna tire le drap pour découvrir la jeune femme. Sa tête blonde laissait bien deviner un corps aussi rose, lustré d'un duvet qui s'épaissit à peine plus foncé avant que s'ouvrent les jambes. Les cuisses sont fermement emboutées dans des hanches massives qui font un piédestal à son torse où trônent ses seins lourds. On dirait que les épaules sont trop petites pour pouvoir les supporter mais sa maigreur suppose beaucoup de force dans sa façon d'embrasser la vie.

— Je sais pas si tu peux me répondre, demande Susanna, mais qu'est-ce qu'il a dans la tête ces temps-ci?

Marc ne veut pas en entendre plus. Aucune des deux femmes ne tente de le retenir quand il les laisse seules dans la chambre.

— C'est vrai, tu peux peut-être me répondre, Sylvie. Ça allait, là, ça allait aussi bien que ça peut aller dans une histoire un peu compliquée comme celle-là mais voilà que, parce que moi je suis pas rentrée cette nuit, monsieur me fait une scène à matin... Tu devrais voir le bardas!

Sylvie ne peut pas s'empêcher de pouffer de rire.

— Oui, c'est peut-être une réponse, lui sourit Susanna. Franchement, on n'a pas fait tout ce chemin-là pour en revenir à dire encore que c'est pas pareil pour une femme!

— Ça t'étonne vraiment?

Sylvie retrouve des cigarettes à côté du lit.

— C'est un gars qu'il faut aimer comme ça, continue-t-elle, pour ses défauts...

— Pour ça, on l'aime beaucoup, beaucoup... Mais là, c'est trop d'amour!

Marc est revenu : il reste dans l'embrasure de la porte, sans oser rentrer plus dans leur conversation.

– J'ai pas couché avec personne, hier soir.

Elle s'adresse à Sylvie mais sans cesser de regarder Marc.

– Hier, je me suis endormie avec cette personne et j'ai pas de montre sur moi pour quand je pars en volage! J'ai effectivement couché avec la personne mais le problème est pas là, hein? On est libre de nos corps et la seule fidélité qui compte, c'est celle qui nous lie à ce qu'on vit ensemble tous les deux, hein? J'ai couché avec la personne et c'était des soirs où je suis revenue dormir avec Marc, et même aussi coucher avec Marc...

Il est saisi d'un haut le coeur : il se précipite dans la salle de bains.

– Tu y es allée un peu fort, reproche amicalement Sylvie en grimaçant à l'écouter vomir.

– Oui, un peu, regrette Susanna.

– Moi, je m'arrange pour prendre une douche entre les deux...

– J'ai juste pas eu le temps ce soir-là. C'est bien joli l'arrangement «nos libertés d'abord mais revenir dormir à la maison d'accord», mais c'est le genre de problème... Entre les deux?

– Qu'est-ce que tu penses?

– Et il le sait?

– Qu'est-ce qu'on va faire avec lui?

Comme si leur connivence pouvait aller jusque là...

– Pour le moment, excuse-moi, mais moi je te laisse avec le problème, annonce Susanna en se levant.

– Ah bon! C'est peut-être un dénouement un peu rapide, non?

– C'est pas un dénouement, c'est juste un noeud qu'on vient de frapper.

Sylvie la suit dans le corridor, sans plus traîner le drap de tout à l'heure.

– Je parviens plus à suivre le fil de notre histoire. On s'enfarge dedans, là, et là je sais que je m'attrape juste avant de me péter la gueule. Je sais pas où ça va me mener mais je sais que je veux pas aller plus loin.

Elles s'arrêtent devant la porte. Marc retrouve son souffle derrière elles, dans les cabinets.

– J'aimerais savoir... commence Susanna.

Sa main rejoint l'épaule de Sylvie. Elle descend doucement pour se remplir d'un sein.

– Un corps n'est jamais toute la réponse...

– Tu dois être contente. Ça simplifie bien des choses pour toi aussi...

– Je sais franchement pas laquelle de nous deux...

Sylvie embrasse Susanna avant de la laisser sortir.

...jamais

Jeanne laisse Philippe lui retirer son blouson. Elle se réfugie dans un coin du lit en se cachant le visage dans l'ombre de son bras. Après avoir baissé le store, Philippe suspend la veste de Jeanne au dossier d'une chaise qui bascule sous le poids. En la rattrapant avant qu'elle ne tombe par terre, il saisit quelque chose qui l'intrigue dans une des poches du vêtement.

Il en sort un automatique : sur la culasse, il est gravé Smith & Wesson, et même «model 439» pour les ignares comme lui.

– Qu'est-ce que tu fais avec ça, toi? demande-t-il à demi-voix en s'assoyant sur le lit.

Il dépose une main sur son épaule. Jeanne répond dans un marmonnement déjà endormi. Philippe n'ose plus remettre le pistolet dans la poche étroite de la veste. Il le dépose plutôt sur la commode.

Quand la ferveur militante s'était mise à jouer sérieusement au cowboy en prévision du grand soir et de l'aube rouge du lendemain, on a appris comment ça marchait ces affaires-là mais c'étaient les revolvers qu'on allait voler aux flics, pas des automatiques! Et Philippe a oublié : on n'en a même jamais vraiment touché un! Et c'est du passé, ça!

À moins que toute cette journée ne soit pas commencée, personne n'est levé, Madeleine dort encore, le téléphone ne va pas sonner, Jeanne perdue quelque part aux États-Unis... À moins que ce soit le reste qui ait été un rêve et il fallait que Philippe se réveille un jour... Il fallait que ce ne soit que la veille pour que les choses changent aussi peu.

Pourtant Laurent. Pourtant il y a les traîneries qui se sont ajoutées sur la tablette de la collection de Philippe. Pourtant quand ils vivaient ensemble, personne n'aurait eu l'idée de trimbaler une arme!

...autour

L'homme éventre son sac sur le toit de l'automobile. La carte va lui servir de nappe. Son hamburger d'une main, il se repère.

La sueur dans le dos de sa chemise continue de faire coller la grande tache du siège de l'auto. C'est sa propre grandeur qui alourdit sa carrure plus que le grisonnement des années.

La terrasse du McDonald's est désertée. Même les détritus par terre ne font pas l'effort de bouger. La chaleur s'apesantit sur la ville

Vietnam il suffisait de lever le bras pour le tremper dans l'épaisseur de l'air ça n'a pas duré rien que le temps d'un service rendu à la folie militaire

sa carrière la ville en est pleine il en a vu sur la
plupart des rues prennent jamais de vacances
travaillent dur font des trâlées de petits pour se
reprendre sur les massacres la guerre non plus ne
prenait jamais de vacances plein de VA's qui ont
réchappé à l'énorme bateau que l'opinion publi-
que a monté sur leur drame eux fuir en hélicoptère
c'était moins alarmant pour les sensibleries inter-
nationales mais merde on continuait à leur tirer
dessus à chaque fois ça écoeure à chaque fois il
aurait voulu hésiter à chaque fois c'était lui ou
l'autre à chaque fois c'est ça qui tue survivre avoir
vu ça et continuer à le vivre pour le reste de sa vie

Il ne les voit plus : le petit groupe de Vietnamiens vient de tourner le coin de la rue.

Cette ville est aussi déserte que ces villages qui en ont laissé d'autres devenir des villes. C'est à se deman-der comment elle fait pour être si grande.

Il retire ses lunettes pour rouler ses poings sur ses yeux mais ça ne peut qu'accentuer la brûlure des larmes.

...alors

— Ça duré combien de temps? demande Laurent.
— Six ans... Un peu plus...
— Ça faisait longtemps qu'elle était partie?
— Tu dois pouvoir rajouter à peu près un an à la petite.

D'ailleurs Kathleen fait entendre qu'elle a fini sa sieste dans la chambre à l'autre bout de la maison. Elle lance des gloussements comiques.

Elle appelle plus fort. Laurent la rejoint en chanton-nant.

— Coming, coming...

Philippe reste là à faire le tour du nouveau décor. Il y a maintenant tous les meubles qu'il fallait dans les coins vides ce matin.

Il ouvre quelques boîtes pour regarder ce qu'il peut y avoir dedans. Des vêtements, quelquefois des livres. Celles contenant les ustensiles, il les transporte dans la cuisine. Les autres contiennent toutes sortes de traîneries. Il n'y a que Jeanne pour savoir ce qu'il faut en faire.

Un album de photos. En feuilletant les premières pages, Philippe s'approche dans la direction de la chambre bruyamment égayée par le rire de Kathleen. Laurent lui répond de la même façon.

— Eh! Vous pensez pas que Jeanne a besoin de dormir un peu...

Qu'est-ce qu'ils peuvent bien se raconter d'intéressant?...

Madeleine fait le service. Elle en profite pour réfléchir à ce que Susanna vient de lui raconter. Ses gestes se sont pas mal déssaoulés, sauf un coin de blouse qui dépasse de la jupe.

— Moi, je pourrais pas, conclut Madeleine.

Elle débouche la nouvelle bouteille.

— Je pense que je suis la femme d'un seul homme. À la fois... Oui, fleurs bleues et eau de rose, admet-elle devant le rire de Susanna, mais quand même pâles! et repeintes plusieurs fois!

— Oui, c'est beau chez toi. Pour un sofa comme ça, j'aurais pu aller jusqu'à Paris, moi, estime Susanna en tapotant gentiment le canapé.

Madeleine la rejoint avec les verres.

– Juste la lampe, là, lui montre Madeleine, c'est presque l'Italie! Et encore, c'est grâce à l'escompte que je peux m'offrir à la boutique.

Elle ne peut cacher un peu de fierté en époussetant la jolie petite table où elle a déposé la bouteille.

– Ça marche toujours, la traite des planches? lui sourit Susanna dans une première gorgée.

– À planche, mademoiselle, à planche...

Susanna doit sortir la moitié des vêtements de son sac pour trouver ses cigarettes.

– Et le reste de tes affaires?

– Je vais m'arranger avec quelques allers-retours en attendant...

– En tout cas, en attendant, lui offre Madeleine, on peut s'arranger pour te trouver une place dans mes affaires.

– Mais moi, je serais juste un bibelot du Plateau : tu irais pas bien loin avec ça...

Comme elle voudra, lui laisse choisir Madeleine.

L'ivresse de ses gestes se montre de plus en plus pesante sous la chaleur qui écrase la lumière. Elle défait la blouse qui lui colle à la peau pour ne laisser qu'un bouton attaché à la hauteur des seins.

– Moi, la plupart, c'est mon ventre qui les fascine...

Madeleine retrousse sur sa peau ronde le pan de blouse qui sort de sa jupe.

– Et toi?

– C'est vrai que tu as un beau ventre.

– Non. Toi, qu'est-ce qu'ils aiment?

– Comme tout le monde : les cuisses, les seins, les fesses selon le problème que le gars a eu avec sa mère.

– Montre...

Mais Madeleine se reprend en voyant que Susanna pourrait accepter l'invitation.

– Je... Je pense que je suis un peu saoule, s'excuse-t-elle.

Elle referme sa blouse mais elle demande quand même à Susanna de lui remplir à nouveau son verre.

– Il s'offrait pour un enfant avec ce beau ventre-là!

Madeleine n'en revient pas encore.

– Philippe?

Susanna aurait besoin qu'on lui reprenne l'histoire par le commencement.

– Philippe!

Madeleine est surprise que Susanna n'en sache pas davantage.

– Philippe, un enfant! Philippe, il est pas capable avec les enfants. Moi, je voudrais peut-être un enfant à l'âge que j'ai là, mais... Après presque deux ans, comme entre Philippe et moi, c'est souvent le couple ou la rupture. Nous, on est en rupture de couple!

Elle sourit, assez contente de sa formule.

– Mais c'est pas évident, reprend-elle avec une certaine inquiétude : le couple est toujours là. Et tu en arrives à te demander si ce qu'on vit c'est pas quelque chose qui a manqué le bateau du couple. Mais quand on les voit couler, les autres...

Elle prend Susanna comme exemple. Pourtant cela ne la convainc pas tout à fait.

– Tu as beau te dire que c'est autre chose, que c'est autrement, et que c'est autrement plus plaisant comme ça. Mais tu te demandes où est-ce qu'on s'en va comme ça?

Madeleine trouve malgré tout à sourire au travers ses grandes questions.

– Là, je sais pas où est-ce que ça va nous mener exactement mais je sais que j'ai envie d'y aller.

— Moi, je trouve ça plaisant de pas voir le bout de nos histoires d'amour, pose Susanna.

— Et Laurent, comment tu vois ça?

Évidemment, quand il y a un autre homme dans le décor, il faudrait que ce soit une explication, si ce n'est pas la raison.

Elle n'a pourtant pas besoin d'expliquer à Madeleine que ce n'est pas la première fois. Questions d'aventures, elle en a peut-être eus moins souvent que Marc mais, à chaque fois, c'était aussi moins passager ; ses aventures sont même de temps en temps devenues des amis. Un homme pour un autre, ça n'en vaudrait pas la peine. Mais, bon! Laurent est là.

Elle n'a pas eu envie de revenir dormir chez elle comme les autres fois. Elle était fatiguée. Fatiguée de cette balise de la permissivité : revenir dormir, qu'est-ce que ça veut dire? Elle ne comprend plus ce que cela a pu vouloir dire. On se laisse du lousse, pendant que la possessivité tient solidement son bout. Et tout se dire en plus! jusque dans les détails! Mais cette fois, justement, elle veut en garder pour elle... La préférence ne tire plus la couverture de l'autre côté de l'aventure.

— Toi, tu en veux pas d'enfant.

Madeleine en est sûre devant le silence de sa copine.

— En tout cas, ça me pose pas de problème...

Le temps de s'installer plus confortablement dans le coin du sofa, Madeleine cherche à comprendre.

— Mais c'est pas une réponse, ça.

— Pas plus qu'il en est question, justement... C'est qui, alors, qui s'est si gentiment offert?

Susanna indique le ventre de Madeleine.

Elle est obligée d'en sourire, même si ce n'est qu'à moitié.

— La femme d'un seul homme à la fois, des fois...

Madeleine s'adresse au verre qu'elle fait rouler entre ses doigts.

– Non mais, tu t'imagines! Un gars d'un soir qui te dit qu'il veut un enfant de toi quand ça fait des semaines que tu essaies de convaincre ton chum qu'il te laisse au moins t'en faire faire un par lui... Moi, le lendemain, j'avais juste hâte d'aller effacer ça dans les bras de Philippe.

– Tu lui en a parlé?

– Mais non : juste un soir! se défend Madeleine. C'est drôle, hein? se ressaisit-elle : tout le piquant d'une aventure, c'est comme si ça faisait juste raviver ta soif pour celui qui continue à te satisfaire bien mieux...

Mais elle ne trouve plus ça aussi drôle. Elle se lève pour faire quelques pas afin de démêler ce qui lui noue la gorge. Elle s'arrête au-dessus du répondeur.

– Juste un soir! hurle-t-elle à l'appareil.

Elle le lance de toutes ses forces à l'autre bout de la pièce. Elle emporte la table avec elle en s'effondrant dans son élan.

Philippe referme la porte sur l'ombre de la chambre. Le bruit dérange peut-être Jeanne mais c'est sans se réveiller qu'elle change de position dans le lit.

L'album sous le bras, Philippe s'approche de la commode où il fait disparaître l'automatique dans un tiroir.

(...auparavant)

Philippe va répondre à la porte où l'on continue de tambouriner. À peine a-t-il ouvert que Jeanne le pousse vers la chambre sans dire autre chose qu'un long baiser, sans autres explications que des caresses.

Les draps en boule sont retombés au bout du lit par-dessus le désordre de leurs vêtements. La tête sur la hanche de Philippe, Jeanne lui emprisonne les cuisses dans un bras qu'elle glisse derrière sa nuque.

Pendant que Philippe lui allume une cigarette sur le tison de la sienne, elle laisse flâner son regard dans la chambre.

— Tu devrais un peu bouger ça...

— C'est bien comme ça, semble-t-il à Philippe.

Qu'est-ce qu'elle y trouve à sa chambre?...

— Ça fait toujours du bien des changements.

— Ça te va bien de parler pour les autres, lui reproche-t-il gentiment.

Il laisse glisser une caresse sur son visage après avoir amené la cigarette à sa bouche.

— J'aurais pu ne pas être seul, chicane-t-il, sans vouloir convaincre personne.

— Oh oui, j'ai changé...

Jeanne ne semble pas vouloir en ajouter davantage.

— Tu es pour longtemps en ville?

— Je sais pas. C'est des sortes de... vacances...

— Tu es pas revenue à Montréal, conclut Philippe.

Jeanne fait non sur son ventre.

— Tu sais, Philippe, l'idée d'avoir un enfant...

Elle se retourne pour le regarder avec un air qui s'excuse de revenir là-dessus mais ça sera la dernière fois.

Philippe l'avertit avec une froideur qui a trop mal pour sortir autrement.

56

— Si c'est rien que pour ça que tu es revenue te faire sauter en ville, tu vas t'en retourner comme l'autre fois.

Jeanne s'élance hors du lit.

— Non, toi tu le sais pas ce qui a changé dans ma vie.

Elle lui jette sa cigarette au visage.

Pendant que Philippe cherche où les tisons ont pu tomber, Jeanne ramasse ses affaires, les mêmes jeans, le même jacket : ils étaient neufs à cette époque.

Elle sort en claquant la porte de la chambre derrière elle.

Philippe tire une nouvelle bouffée de sa cigarette en éteignant le mégot de Jeanne dans le verre à côté du téléphone. Il balaie la cendre qui a grésillé un instant sur sa poitrine.

...longtemps

Philippe s'est assis par terre, entre le lit où Jeanne est toujours endormie et la fenêtre, adossé sous le store pour avoir plus de lumière.

Sur la première page de l'album, on les reconnaît à peine tellement ils étaient jeunes. Jeanne et Philippe sont assis, nus, avec quelques amis dans le même costume, sur le balcon d'une vieille maison perdue dans un petit bois, avec la mer qu'on devine plus loin, derrière. D'ailleurs, sur les photos suivantes, la tribu s'est éparpillée sur la plage.

Puis il y a une série de photos de chacun des couples de la bande. Ils prennent la même pose, les uns après les autres, enlacés devant l'objectif. Il y en a bien cinq ou six; sur l'une d'elles, deux hommes ; sur une autre, ils sont trois : les deux filles encadrent un gars en se tenant elles-mêmes par les épaules. Celle de Philippe et Jeanne a été agrandie. Elle prend toute une page.

Ils en ont eu vite par-dessus la tête du macramé power. Mais c'est peut-être ce qui fait encore un noeud dans la gorge quand on rit de nos vingt ans. Vingt ans! Avec un quart de siècle, toute la vie, quoi! devant soi pour se retrouver au rendez-vous de l'an 2000.

S'ils en ont jamais été des champions, à l'époque des vaches maigres où tout le monde était plus ou moins végétarien, Jeanne et Philippe se sont adonnés comme tout un chacun à la luzerne et au tofu, et des soirées bongos-tisanes-guitares mal accordées mais c'était la note de sincérité en fleur et flanelle carreautée qui comptait, cuir et poterie, et ça continuait jusqu'au bout de l'usure des chandelles.

Ils se sont rencontrés à la campagne, un an avant cette photo sur la côte Atlantique. Par hasard, à cette époque, pas de chum, pas de chumme ni l'un ni l'autre, il ne reste qu'un seul grand lit sur les deux étages d'une vieille maison qui s'effondre d'ennui sur le bord du fleuve. On leur allume la chambre avec ce genre de sourire qui voudrait bien arranger les choses.

Toute la soirée, chacun y était allé de sa pseudosophie sur la différence entre coucher et dormir ensemble. Ils ont continué la discussion et se sont endormis avant d'en arriver à une conclusion, sans aller plus loin : sans coucher ensemble. Ils avaient même gardé leurs culottes, comme si ça pouvait changer quelque chose à l'affaire.

Quelques jours après, Jeanne arrive chez Philippe, assez tard pour le déranger, même s'il veut la convaincre du contraire devant la figure étonnée de... de il ne se souvient plus de son nom, qui rhabille ce qu'elle avait commencé à déboutonner au fil de la discussion. Jeanne s'en rend compte mais il la retient et c'est l'autre que Philippe laisse partir : si elle ne veut pas comprendre les priorités d'une amitié quand c'est d'une autre femme qu'il s'agit...

Ils s'installent sur le balcon où, une bouteille après l'autre, ils font durer la soirée jusqu'à l'aube du Plateau Mont-Royal. Philippe habitait dans un appartement trop grand comme on les aimait alors, où on se contente de camper dans quelques pièces en attendant de pouvoir meubler le reste, le temps de tout fabriquer soi-même, ce qui est encore mieux. Assez grand pour héberger Jeanne pendant un petit bout de temps, conclut-il. Et elle peut continuer de pleurer contre lui, pleurer cette histoire d'amour. Même quand ça finit bien, ça finit toujours trop vite pour qu'on puisse rattraper le souffle de nos indépendances sans hoqueter pendant quelques jours.

Et pleurer souvent ensuite quand elle met les gars à la porte aux petites heures et que ça réveille Philippe. Il va la rejoindre dans le lit où les odeurs du bien grand mot amour sont assez fraîches pour que ça ne soit pas très facile de se trouver une position confortable entre les taches, jusqu'à ce que les larmes de Jeanne finissent par s'endormir.

La réserve de croque-nature s'épuise finalement assez vite. Jeanne et Philippe s'épaulent comme il faut quand il s'agit de justifier l'envie qui leur vient de trouver les arbres plus intéressants que les enjeux sociaux et les finalités du féminisme avec une fureur des «e» muets comme une hésitation répétée en cherchant comment dire ce monde à refaire.

Pour n'avoir milité qu'en toute sympathie, les distances qu'ils prennent devant leurs embrigadements laissent assez de place pour un rapprochement. Depuis cette coïncidence du même lit, ils parcourent ensemble leur bout de dérive, à chaque fois prêts à aider l'autre à tirer les ficelles de ses malheurs. Entre la disponibilité et le désir, sur la brèche du charme, la tendresse prend corps. Ils partagent la plupart de leurs nuits, sans plus de culotte. Le problème, c'est que ça ne change rien...

Pendant ces trois années à vivre d'un bout à l'autre du long corridor de l'appartement de la rue de Lanaudière, selon les détours que prend le quotidien autour du couple qu'ils deviennent, ils réussissent à s'arranger du problème de Philippe en liant leurs vies d'un secret de tendresses.

L'hiver les retient de mettre le nez dehors; la soirée prend l'été par le corps jusqu'aux premières heures qui blanchissent le ciel par-delà le fleuve; les chaleurs n'en finissent pas d'étonner l'automne; le printemps attend que le jour se couche plus tard : à chaque fois une nuit de gagnée sur les urgences de l'ordinaire, là où l'affection peut découvrir tout le territoire du geste, de la caresse, où c'est déjà beaucoup de s'enlacer au sommeil de l'autre, et c'est tout. Et puis cette maison de la rue Dalcourt...

Philippe passe rapidement sur la suite des premières pages où il n'est jamais bien loin de Jeanne, comme sur cette série de photos prises au fil de la rénovation de la maison. Le ravalement des murs les blanchit de poussière au milieu des décombres. La plomberie, l'électricité, ensuite on referme les murs ; leurs vêtements sont tachés de coulées de plâtre. Et tout le travail à l'extérieur aussi.

Il manque une photo. Elle laisse un cerne sur la page. Philippe secoue l'album pour la retrouver peut-être seulement décollée et glissée entre deux pages : elle n'y est pas.

Quelques pages encore et Philippe n'est plus avec Jeanne.

Jeanne est une femme qui prend les gens comme ils sont et pour ce qu'ils font. Ce qu'ils ont pu faire, ce qu'ils ont été, c'est bien le seul côté de la vie qui ne l'intéresse pas.

Philippe non plus : l'histoire n'est qu'un autre volet de l'avenir, une façon de creuser l'épaisseur du présent, de trouver des précédents aux surprises des événements.

Étudiant brillant! Il l'était assez pour ne pas s'encarcan-ner à l'université. Il avait laissé tomber ses recherches pour faire quelque chose de ses mains avec l'histoire (qui l'avait assez passionné pour écrire son mémoire sur *L'Évolution de l'architecture intérieure domestique de la région de Montréal)* marquer ses mains d'ampoules et de callosités. Habile, il avait payé ses études avec les contrats de vacances et c'est peut-être pour se sentir toute sa vie en vacances qu'il avait choisi de se tourner du côté de la rénovation.

Ses profs n'en revenaient pas, ne comprenaient pas. Surtout qu'il en avait fait du chemin, Philippe Saint-Martin, depuis la petite école à Saint-Henri; il était le seul de la génération de 1950 à s'être rendu jusqu'à l'université. Justement, il se sentait très seul dans les couloirs de l'université et beaucoup moins sur les écha-faudages avec des gars qui avaient les mêmes gestes que lui, et le même accent qu'il retrouvait dès qu'il fermait ses livres et la porte de l'institution derrière lui. Pour-tant, il n'y était pas plus à sa place. Venu de trop loin pour s'installer à l'université, été trop loin pour vraiment revenir sur ses pas. Tout à la fois immigrant et exilé, ceux qui n'arrivent ni ne reviennent jamais. Il n'avait que Jeanne à qui s'accrocher.

Mais elle voulait un enfant.

Jeanne s'était essayée à la psycho-sociologie. Rapi-dement, le temps partiel avait changé de bord et les études ont graduellement diminué la place qu'elles pre-naient. Philippe l'a seulement rejointe un peu plus tard, en continuant quand même l'étude de la conjoncture dans les cellules des groupuscules où il mettait le nez de ses sympathies.

Mais elle voulait un enfant de lui.

Avec ses trente-six métiers et cinquante-deux se-maines de débrouillardise, la révolution, sa manière d'y faire sa part, c'était avec un tourbillon de portes claquées, de coups de gueule et même son poing sur celles des patrons minables, avec un emportement qui avait quelquefois entraîné des camarades avec elle. *C'est un joli mot, camarade*, une beauté un peu précieuse dans nos bouches. Cependant, les rares fois où Jeanne s'en servait pour couronner ses chummes d'ouvrage, on aurait pu commencer à y croire.

Jeanne s'est essayée du côté le plus ordinaire de la vie, là où le lendemain est la mesure du rêve, et le fil des jours, celle de l'avenir. La vie est ailleurs, et elle est allée voir si c'était vrai, si c'était si loin que ça mais la vie était encore ailleurs et il fallait peut-être revenir et il faudra sans doute repartir. Le bon côté de la vie, Jeanne s'imagine qu'elle va le trouver de l'autre côté du quotidien, de quelque côté qu'elle se trouve. Moins dans l'excès que dans le risque, un pas de plus pour changer de pas. Quand elle revient, c'est encore de l'autre côté de l'ailleurs. Un peu perdue, elle ne fera jamais que passer, sans attaches, même celles qui peuvent nous lier à nos fuites. Pour se perdre autant, elle en connaît du pays! même si elle ne pourrait conseiller à personne comment s'y rendre ou en revenir. Pas tant sur la route que déjà ailleurs, exactement dans cette nuance entre le dépaysement et l'étranger.

Dix, onze ans, c'est bien assez pour en savoir aussi peu sur quelqu'un. Philippe peut tout juste encore la saisir sans pouvoir vraiment comprendre. On s'imagine peut-être que la fin de l'histoire est la fin du livre mais, avec Jeanne, il y a à chaque fois une autre page à tourner. Sa vie, on peut autant la suivre dans l'ordre que si on se contente de la feuilleter. Les trois dernières années qui viennent de passer, il suffit de tourner d'un bloc les dernières pages de l'album pour revenir à la veille de son départ.

Philippe s'était attendu à ce qu'elle revienne une fois la nuit passée, ou peut-être le surlendemain. Un enfant!

La dernière fois, ça avait duré une semaine et elle était revenue avant que n'arrive sa lettre d'adieu. Elle la lui avait laissé lire parce que, quand elle l'avait écrite, elle était vraiment partie : la même lettre, peut-être qu'elle lui aurait envoyée quand elle n'est plus revenue pendant trois ans.

Philippe,
Je ne suis plus là. Je suis partie. Je ne pense pas que je vais revenir. Je m'en vais. Je te laisse. Je pense que ça va être mieux comme ça pour tous les deux. De toute façon, je ne vois pas tellement qu'est-ce que ça pourrait donner. Je ne vois pas non plus qu'est-ce que ça va donner mais on ne peut plus continuer comme ça. J'attends quelque chose de la vie que tu ne veux pas me donner. Tu dis que tu ne peux pas mais je pense que tu ne le veux pas. Je pourrais bien te dire ce que j'en pense mais tu le prendrais contre toi. Je ne critiquerai jamais personne mais on peut passer des remarques, mais pour toi, ça devient «faire des remarques» et j'en ai assez des engueulades, des scènes qu'on ne sait pas comment finir parce qu'on ne les a pas vu commencer. De toute façon, depuis des mois, c'est une énorme scène de (notre) ménage. Faute de joueurs, elle va peut-être finir enfin. Philippe, je n'ai rien contre toi, mais toi tu vas sûrement en avoir contre moi. Si c'est comme ça la seule façon pour toi de faire la part du pour et du contre, ça va pour moi. Je veux seulement te dire que ce n'est pas seulement pour avoir un enfant. C'est pour avoir de quoi d'autre devant moi. De quoi d'autre que le petit train-train qui ne va plus très très loin dans notre vie. Je suis certaine qu'on est dans les pattes l'un de l'autre. Et finalement, c'est même sans doute surtout moi qui suis de trop parce que c'est peut-être moi qui

ne suis pas dans le droit chemin, qui m'en vais de travers mais je m'en fous, je veux y aller! Si je reste, je vois bien ce qui va se passer : tu vas te tasser dans un coin pour me laisser passer, pour me laisser toute la place que je prends. C'est ça que je ne veux pas. Notre Chanson des vieux amants, on la connaît par coeur, et notre chambre sans berceau et les éclats des vieilles tempêtes, j'en ai assez, capitaine. Ce n'est même plus une chanson, ça devient une rengaine. On n'a pas fait grand chose de nos vingt ans, Philippe, et ça, ça me fait de quoi. Je veux en tout cas faire quelque chose de ma vie. Les problèmes qu'on a ensemble, ton "problème" qu'on est trop gênés pour l'appeler par son nom, c'est rien qu'une partie de l'affaire. C'est la goutte, Philippe, et là on s'enlise. Merde, je t'aime. Je peux pas laisser aller ça comme ça. Alors, je m'en vais. Je me sauve. Je veux sauver quelque chose. Je sais pas comment je vais le faire mais je sais en tout cas que c'est pas ensemble qu'on va sauver quelque chose, Philippe. Je suis en maudit contre moi, contre la vie, contre les détours que la vie nous a joués depuis le temps. Là, j'ai l'impression que c'est mon tour qui est en train de passer et je ne veux pas le manquer. Manque pas le tien non plus, Philippe, s'il-te-plaît. Parce que je t'aime.

Philippe s'est contenté de relire cette lettre quand il a finalement reçu une adresse. Jeanne demandait d'y envoyer le reste de ses affaires. Aux États-Unis! Ensuite, il y avait eu quelques coups de fil pour ses anniversaires, deux ou trois cartes postales où ce qu'elle racontait n'allait pas plus loin que les banalités des vacances.

Une lettre attend encore, quelque part, sur la table de Philippe. *Ne me quitte pas... l'ombre de ton ombre, l'ombre de ton chien...* Il ne savait plus où donner de la tête, où donner du coeur, mais il faudrait que ça frappe plus dur que ça pour tous les murs qu'il avait envie de défoncer, avec sa tête, tiens! Pourquoi pas, puisqu'il n'a que sa tête bien droite sur ses épaules et peu de chose entre les jambes. Elle a beau dire, le problème est là. Qu'elle se fasse baiser comme elle veut, il n'en a rien à foutre. Le foutre, justement! Mais reste là, reste avec moi, reviens, il y a de la place pour essayer de se faire une vie à côté de l'ordinaire dont se contentent les autres petits couples qui roucoulent leurs banlieues de l'âme jusqu'à en bâiller. De la place pour l'enfant aussi mais pas un enfant de lui, qu'elle n'y compte pas! Il n'a pas envie de redécouvrir son enfance car c'est ça qu'on aime, chez un enfant, le souvenir des émerveillements dont on s'est remis. Lui, il n'a à peu près aucun souvenir de son enfance, sauf des histoires tristes. Son enfance n'a pas été triste mais c'est tout ce dont il se rappelle, ces éternités de tristesse qui prennent toute la place. Il ne veut pas courir le risque de faire vivre ça à un autre enfant. Il n'a pas confiance en l'enfance. Mais en elle, oui. En eux aussi.

Cette lettre, il ne l'avait jamais finie, toujours reprise depuis le début à chaque fois que l'envie d'écrire à Jeanne lui revenait, l'envie de comprendre, jusqu'à temps qu'il comprenne que... Il l'aurait envoyée à la même adresse que les meubles quand, alors, Jeanne est passée, il y a à peu près un an... Aux États-Unis! Elle n'avait rien voulu lui raconter cette fois-là.

Dans la suite de l'album, il y a des parties de mini-golf et de quilles, de grands sourires au milieu des manèges sur la place. Dans un stand d'exercice de tir, il faut voir l'expression victorieuse de Jeanne, les protecteurs sur les oreilles par-dessus la casquette de baseball. Et l'homme, avec le même attirail sur la tête. Ils regardent l'appareil, les mains de l'homme sur celles de

Jeanne pour lui apprendre comment maîtriser son pistolet.

Puis ce sont plusieurs photos d'une sorte de camp de vacances avec de grands enfants costumés en kaki qui jouent avec des armes comme on n'a l'occasion d'en voir que sur les clichés des nouvelles de l'étranger. Jeanne est quelque part dans un groupe de femmes qui popotent, les hanches alourdies de larges étuis. L'homme pose avec son groupe. Il y a trop de bedaines pour que ce soit la grande forme de l'armée. Lui, c'est l'athlète de la bande, avec des galons sur les épaules.

Même page : il est sur la photo d'un autre groupe. Les couleurs se sont beaucoup affadies. Il a à peu près la même allure, le même grade brodé sur le battle-dress. L'équipement qu'il porte sur lui, et celui que portent les autres gars aussi, sont des jouets moins neufs que ceux des scouts de tantôt. La sueur fait de larges cernes à travers la toile sous les bras. Derrière, c'est la jungle. En y regardant de près, l'homme est quand même plus jeune que tout à l'heure. Son sourire marque moins profondément ses joues. Sur la page suivante, une mozaïque de souvenirs. Des faces de jeunes copains, des paysages, des bandes de militaires comme lui qui s'empilent sur des chars d'assaut : le Vietnam, que les bons moments, comme si la guerre n'avait eu lieu qu'à la une des journaux.

Ensuite, c'est devant une maison mobile qu'il pose avec Jeanne dont le ventre a commencé à grossir. Dans les derniers mois, le ventre prend de plus en plus de place entre les mains de Jeanne. Et c'est enfin une petite face cramoisie. Ça continue jusqu'à ce que la petite ait à peu près un an. Pour les derniers mois, les pages sont vides.

Kathleen rentre dans la chambre. Laurent la rattrape, à quatre pattes comme elle sur le plancher.

Susanna se précipite vers Madeleine pour essayer de la calmer. Elle s'est mise à frapper des deux poings sur ses cuisses. Quand Susanna réussit enfin à lui saisir les poignets, Madeleine s'affaisse dans ses bras.

— Depuis combien de temps? lui demande-t-elle doucement.

— Rien qu'un soir, répète Madeleine.

Susanna l'aide à se relever.

— Et puis Philippe le lendemain, je peux pas savoir...

Son ivresse l'a épuisée. Elle s'écrase de tout son long dans le désordre ramolli de ses gestes.

Susanna lui tend une tasse de café.

— Qu'est-ce que tu vas faire?

Elle dépose une caresse sur le ventre de Madeleine. Les peaux sont si différentes. Celle de Madeleine est épaisse au toucher. Le reste de son corps est aussi confortable. Si on la serre, c'est déjà l'envie de s'y coller. Susanna défait le bouton qui refermait encore la blouse de Madeleine.

— Je sais pas, justement, avoue Madeleine après avoir cherché mieux : l'envie de le garder, bien sûr, mais pas de n'importe qui, merde!

— Philippe, là-dedans?

— Je le sais-tu si c'est Philippe qui est là-dedans...

Elle retient la main de Susanna contre son ventre.

— ... ou si ça le concerne pas...

— Tu prenais rien?

Madeleine profite du temps que Susanna lui sorte les bras de sa blouse trempée pour hésiter à l'admettre.

— Je pensais pas que ça reprendrait aussi vite, mon cycle. J'allais en parler à Philippe pour le décider : un enfant de lui, même en rajoutant la difficulté que, s'il veut pas en avoir un dans les jambes, qu'il me le mette à moi, entre mes jambes, je suis prête à marcher toute seule là-dedans...

— Tu le veux, cet enfant-là, remarque Susanna.

Elle lui donne un coup de main pour retirer sa jupe.

— Mais toi, tu te poses pas de problème, hein? lui reproche Madeleine en revenant dans ses bras.

— Pas avec les enfants, non. Je pense pas que j'en voudrai des enfants.

Susanna recommence à la bercer.

— J'en ai assez de m'occuper de moi-même sans vouloir doubler la jobbe. Justement, tu vois, je suis due pour me retrouver, moi... C'est ce qu'on dit, hein, pour se montrer juste le bon côté d'une histoire qui finit... Moi non plus, les affaires d'un soir, ça m'intéresse pas tellement mais il faut bien commencer quelque part! Mais les lendemains, je vois même pas assez d'avenir pour moi avec ce qui nous tourne autour par les temps qui courent à leur perte...

— Des fois je me demande si c'est pas un peu de la lâcheté de pas attendre que ça aille vraiment mal, marmonne Madeleine. Ça fait toujours des séparations toutes croches. Parce que c'est pour sauver quelque chose qu'on fait ça et après, ça va, ça vient, pendant un bout de temps et tu sais plus quoi en faire de ce qui t'en reste quand on se revoit.

— C'est pas de la lâcheté : c'est une difficulté de plus!

On fera sûrement admettre à Susanna qu'on se trompe plus souvent qu'à notre tour et qu'on aime bien, au fond, les complications qu'on met dans les pattes du quotidien. Au moins, on essaye, au risque que l'oeuvre de la seule vie qu'on a devant nous soit une longue étude et jamais tout un vrai morceau. Sauf qu'on le joue nous-mêmes, notre avenir, virtuoses de l'inachevé. Chaque journée n'est pas finie avant le lendemain. Où est-ce qu'elle va dormir ce soir?

Voyage ou volage, Susanna préfère prendre la vie avec ses paresses méditerranéennes au lieu d'en faire vraiment quelque chose à tout prix! Elle est convaincue qu'il y aura toujours autre chose, et le temps que ça dure, elle le prend, même si on n'a pas toujours le temps de mettre un point final : on tourne la page.

— Je parlais pas pour toi, Susanna, explique Madeleine ; je parle pour moi, et pour nous autres : toute notre génération qui est encore pognée dans le fil à retordre de nos histoires d'amour.

— Avec les gars, s'il y avait pas les filles pour arrêter nos amours de tourner en rond, je me demande bien à quel même point on serait rendus. Pas tellement plus loin que nos parents sans doute...

Ses parents : les appeler avant qu'ils ne s'inquiètent trop. Un coup de fil à l'appartement et ça va faire le tour de la famille! Elle aura toujours sa place chez eux, et chez son frère et ses soeurs mais en banlieue ; même pour un soir, c'est une banlieue de trop. Susanna a trop la ville dans les tripes. Des meurtres, des crimes, des accidents, du bruit et sans aucun doute que ça pue aussi. C'est toujours mieux que de s'écraser chiens fidèles dans l'abattoir des heures de pointe.

Les grandes familles! C'est aussi triste qu'impossible maintenant. On s'exile dans nos petits couples qui ne feront jamais le poids d'une vraie famille. Les gars s'installent si facilement dans nos bras pour ne plus bouger. On n'a plus besoin du mariage pour finir sa vie entre vieux amis. Pas plus heureux pour autant mais ça en vaut le détour. Qu'est-ce qu'on va faire de nos vieux jours? Ce sera peut-être, tiens! mettons un chum d'université, avec qui on n'a jamais baisé, ou peut-être une fois, ça fait si longtemps! On se revoit de temps en temps, on s'entend bien, on se dit, comme ça, que si on cherchait un colocataire, ce serait lui, il ferait l'affaire, mais ça n'a jamais adonné.

À quarante ans, non : cinquante... mettons soixante pour être plus sûr... Un compagnon pour le lendemain de veille des dizaines d'années qu'on aura passées à se saouler de nos espoirs. À ce moment-là, oui, un compagnon... Parce qu'autrement, le chum, l'homme, le mari, on préfère changer au lieu de laisser la nuit se virer de bord jusqu'au déjeuner où les petites habitudes nous servent leur bonjour bonjour bien dormi? Juste avoir quelqu'un devant soi quand l'optimisme n'aura plus tout à fait sa moitié de verre devant lui. Nos parents ont fait le pas en restant ensemble et si on aboutit en fin de compte à la même chose, on aura au moins fait plus de chemin! Droit devant, la terre reste ronde, on ne revient jamais exactement d'où l'on est parti, la terre a tourné. Ça effraie un peu Susanna mais il faudra du temps, n'est-ce-pas?

— Quand on n'a pas de raisons de se séparer, c'est parce qu'il y en a pas plus de rester ensemble.

Elle a dû chercher longtemps ce qu'elle avait à dire; Madeleine ne lui répond pas, endormie au creux de ses bras.

...désormais

— Je pense que je me suis endormie, bâille Madeleine en s'étirant.

La chaleur de son corps s'est détrempée sur les vêtements de Susanna. Madeleine dépose un petit bec sur sa joue mais la nausée qui continue de l'étourdir l'oblige à brasser moins fort ses gestes.

— Café!, exige-t-elle contre son lendemain de veille ; qu'est-ce qu'il y a pour déjeuner?

— Fais comme chez toi, lui propose Susanna en se dégourdissant de la pesanteur du sommeil de l'autre.

— Je pense que j'ai rien chez moi : avec la boutique, je peux pas faire d'épicerie avant le samedi, explique Madeleine en se dirigeant vers la cuisinette.

Sa nudité enveloppe sa démarche d'un empressement qui découvre un peu de gêne. Elle revient les mains vides.

— J'ai faim!

— On sort manger quelque chose?

— Je pense que je suis habillée pour une douche d'abord, constate Madeleine en chatouillant des coins de timidité qu'elle cache sous ses bras.

— Moi aussi, tiens!

— J'ai juste assez d'eau chaude pour une douche à la fois, l'avertit Madeleine mais Susanna l'a déjà précédée vers la salle de bains en se déboutonnant.

— J'ai faim, annonce Jeanne.

Elle a retrouvé une robe légère dont une couture se défait dans un des plis du bustier : elle peut y faire courir tout un doigt. Avec les années, son corps remplit un peu plus la robe. Les mancherons glissent en ouvrant le décolleté qui s'arrondit sur sa poitrine. Le corsage est ajusté mais les jambes ont toute la place qu'il leur faut sous le volant de la jupe.

Jeanne est encore pieds nus quand elle revient dans le salon après avoir enfilé son blouson. Elle attend sur le pas du portique en nettoyant les lunettes de soleil qu'elle pose sur son nez. Philippe s'occupe de ranger les boîtes. Celles qui contiennent les jouets de Kathleen, il les passe à Laurent qui les offre à la petite, toute heureuse à chaque fois du cadeau.

— Je vais me débrouiller avec Kathleen, fait Laurent.

Il comprend que l'invitation n'est pas pour lui.

— Et toi?

Jeanne cherche autour d'eux où est-ce qu'ils pourraient s'arrêter pour casser la croûte. La remorque vide bringuebale bruyamment en arrière.

— Moi, ça va. Pas tellement changé. Les affaires diminuent en rénovation, la mode est passée mais je peux avoir souvent des contrats de finition dans des chantiers de nouvelles maisons.

— Et toi? insiste Jeanne.

— Ça va, l'assure Philippe.

— Qu'est-ce que tu deviens? Il y a quelqu'un dans ta vie? Comment as-tu rencontré Laurent, tiens? Kathleen et lui se sont adoptés, hein?

Elle profite d'un arrêt pour s'adresser du côté de Philippe.

— Comment tu la trouves?

Il essaie pendant un moment de trouver mieux mais il ne peut pas se forcer davantage.

— Je me demande encore qu'est-ce qu'on peut trouver à un enfant...

Il dit ça sans méchanceté, un peu déçu de son *impuissance à les aimer*.

— Je vais m'arranger pour pas vous embêter trop longtemps avec elle.

— Il en est pas question, tu es chez toi!

— Non Philippe, c'est plus chez moi.

— J'aimerais que tu fasses comme chez toi.

Jeanne jongle le temps d'un silence jusqu'à l'autre coin de rue.

— Et Laurent? Il est chez lui, lui aussi...

— Je lui ai dit à matin qu'il va falloir qu'il se trouve autre chose.

— No way!

Jeanne tasse brusquement l'auto le long du trottoir. Elle en sort en faisant claquer furieusement la portière derrière elle.

— Je veux pas prendre la place de personne, crie-t-elle à Philippe.

Elle va et vient trois ou quatre fois le long de la voiture avant d'en faire le tour pour venir s'appuyer les fesses sur l'aile du côté de Philippe, fâchée, butée, les bras croisés pour se contenir. Philippe la reconnaît bien là dans tous ses éclats.

— Il faut bien que tu dormes quelque part.

Il s'accoude à la fenêtre.

— Il y a toute la place qu'il faut déjà, lui réplique-t-elle sans le regarder : d'ailleurs, on va déplacer ça, ces meubles-là.

Son geste fait le ménage de ce qu'elle voit dans son regard.

— Qu'est-ce qu'ils ont?

— Tu as tout replacé comme c'était!

Elle se retourne enfin vers lui.

— Ça adonné comme ça...

Il regarde autour de lui s'il ne pourrait pas trouver une meilleure excuse.

— Plutôt que de les laisser traîner dans le chemin, j'ai peut-être retrouvé leur place...

— Je te demande un coup de main, Philippe, explique-t-elle tranquillement : je suis pas revenue pour reprendre ça où on l'avait laissé. Je reviens pas en arrière.

Philippe le sait bien, un peu tristement peut-être mais il le sait bien.

— Et puis Laurent, c'est un ami aussi, non?

— Oui, un ami mais... Où est-ce que tu dormirais, toi?

— Je pense qu'on peut encore dormir ensemble...

Elle revient à son siège pour reprendre la route. Elle attend une réponse à chaque coup d'oeil qu'elle peut détourner du chemin.

— Ta deuxième question, lui rappelle Philippe : il y a quelqu'un dans ma vie et de temps en temps dans mon lit...

— Raconte! fait Jeanne, aussi curieuse que contente.

— Ça fait à peu près deux ans... Elle s'appelle Madeleine. Ça va bien, chacun son bord, on prend ça lousse...

— Évidemment, là, ça pose des petits problèmes...

Le sourire de Jeanne insiste plus sur le petit que sur le problème.

— À moins que je dorme avec Laurent : c'est un beau bonhomme... C'est une blague, s'empresse-t-elle d'ajouter.

Philippe s'est tourné vers Jeanne avec un emportement qu'elle ne lui aurait plus cru aussi vif.

— On peut en rire, non?

Elle n'est pas trop sûre...

— Depuis le temps, je peux aussi m'excuser, Philippe...

Il fait signe que ce n'est pas grave mais Jeanne insiste.

— Oui, je m'excuse...

— De toute façon, ça me regarde plus.

Philippe se détourne du côté des trottoirs déserts.

— C'est peut-être pour ça que j'ai cherché un gars qui prenait rien, possessif, jusqu'à temps que je comprenne que c'était pas ma place non plus. Tu en prenais trop...

Jeanne n'accuse personne.

— C'était la mode, mais de là à insister sur l'égalité que nous autres, les femmes, on voulait conquérir en vous tassant, les gars, dans les coins de vos mauvaises habitudes, de là à amener les autres coucher à la maison parce que c'était autant à toi qu'à moi, la maison : non! Quelque part, je t'en veux peut-être de m'avoir laissée faire ça, parce que je suis obligée de m'en vouloir à moi-même maintenant. Je te l'ai dit, Philippe, je suis pas revenue pour reprendre ça où on l'avait laissé : ça non plus...

Elle cherche la main de Philippe sur le siège. Il la lui abandonne avec toute la volonté qu'il est prêt à mettre pour oublier.

— C'est agréable de pouvoir compter sur quelqu'un comme toi, Philippe. C'est rare. C'est pour ça que je suis là, et c'est pour ça qu'il faut pas que tu lui fasses ça à Laurent...

Laurent accompagne Kathleen d'une boîte à l'autre.
— Sésame, ouvre-toi!

La petite les renverse en s'esclaffant comme quarante voleurs à chaque fois qu'elle retombe sur son gros cul de couches avec une boîte béante devant elle et les bébelles qui lui déboulent sur les jambes. Elle semble particulièrement contente d'avoir retrouvé un revolver de plastique rose qui a dû surtout lui servir à faire ses dents.

Pendant qu'elle s'occupe à jouer Ali Baba au fond de la grosse boîte qu'ils ont gardée pour la fin, Laurent profite des cartons qui ont été vidés pour y ranger des affaires dont il n'aura pas besoin avant l'hiver prochain. C'est bien beau de vivre dans ses valises mais quand celles qu'on se découvre sous les yeux se rajoutent au bagage des beaux voyages dont on commence à avoir fait pas mal le tour, on a peut-être envie d'en revenir, de s'installer, de classer les diapositives de ses aventures, de se trouver un point de chute en espérant ne pas tomber de trop haut.

(...auparavant)

— Laurent Leval s'installe à Montréal!

Susanna lit le grand titre qu'elle dessine dans les airs avec un petit rire qui ne veut pas trop gager là-dessus.

— Depuis le temps que j'essaie d'en regagner au change sur les billets aller-retour, c'est finalement ici que je suis le plus certain de me sentir à l'étranger.

— Encore un peu et tu vas en arriver à la petite maison dans la verte prairie des *imbéciles heureux qui sont nés quelque part*, avec la petite famille et la trâlée de petits!

— Laisse-moi le temps d'arriver quand même!

La terrasse est perdue dans une rue peu passante que le soir commence enfin à envelopper après une première journée plus chaude qui s'étire encore avant de se coucher.

— Je suis tanné de vivre dans mes valises.

— Tu fais bien, tu commençais à friper!

— C'est sérieux, Susanna, la gronde Laurent.

— C'est sûr que c'est sérieux : l'idée de t'avoir à longueur d'année dans nos pattes!... Laurent! ... chaque fois que tu reviens, c'est la même chose les premières semaines jusqu'à temps que tu flaires la bonne affaire.

Mais là, je me bouche le nez!

— Si on avait su que le côté casanier de Philippe allait déteindre, on t'aurait jamais installé là! Ça l'air à bien aller chez lui?

— On le connaît pas, ce gars-là, hein? Je vais même commencer à travailler avec lui sur ses chantiers.

— On le connaît pas... Quand même! Ça fait à peu près trois ans, puis je me souviens, tu étais à Montréal quand on l'a rencontré.

— Mais ça s'arrête là. Il parle jamais du temps d'avant que Madeleine sorte avec lui...

...là

— Je vais accoucher en plein hiver, vient de calculer Madeleine.

Elle porte une vaste robe dans laquelle son corps semble plus menu. Il y a des airs d'Italie dans l'après-midi. Le farniente s'arrange pour que la fin de semaine passe plus lentement jusqu'au lundi incontournable, comme si la ville faisait la sieste.

Sur la terrasse, on se tasse sous les parasols et les auvents. Les tables trop ensoleillées ne trouvent personne pour les honorer. On cherchera plutôt un autre endroit.

— Tu le gardes?

Madeleine fait signe que oui en revenant à son assiette.

— Et Philippe?

— Je lui en parle à soir...

— Et qu'est-ce que tu vas lui dire?

— Que je suis enceinte...

C'est aussi simple que ça pour elle.

— Et l'autre?

— Quand l'enfant sera arrivé, on verra, et si c'est à Philippe, ça aura pas fait de mal à personne. Le noeud est trop serré pour essayer de le défaire.

— On coupe dans ce temps-là, Madeleine!

La pauvre fille essaie de s'accrocher au moindre mal avec lequel elle est en train de composer.

— Comment il va prendre son bout de la corde, le futur papa?

— Il le dit : un enfant par accident, il prendrait ses responsabilités...

Il a dit ça!, sourcille Susanna.

— Ses responsabilités, si c'est les siennes, peut-être, mais un enfant, c'est autre chose.

— Le noeud est assez gros comme ça, Susanna. Laisse-moi un peu de lousse, s'il-te-plaît!

La voix de Madeleine se noue dans le fil que Susanna vient de tirer.

— Les noeuds dans une corde, c'est vrai que ça permet de grimper plus facilement, ajoute Susanna pour l'encourager.

La petite dans les bras, Laurent guide son doigt sur la mappemonde en pointant les pays qu'il lui présente du mieux qu'il peut dans un anglais concassé d'accent.

— France, Algeria, Greece, India, Ceylan, Thailand, California, Peru, Colombia, Chili, Argentina...

Depuis tantôt, une des cassettes de tango qu'il en a ramené joue très fort dans le salon.

De là, il remonte tout le long du continent.

— Here! Montreal!

Au bout du compte, il a presque fait le tour du monde. C'est sur ses voyages qu'il a envie de refermer ses valises maintenant.

Il a déposé Kathleen par terre. C'est à son tour de défaire ses boîtes : des pantalons encore bons mais démodés, à pattes d'éléphant; des chemises indiennes trop ceintrées, deux paires de bottines fatiguées et même une veste d'armée pour l'hiver, avec des poches partout. Plus personne ne porterait ça aujourd'hui mais Laurent est trop cassé pour le moment. Il a au moins conservé les quelques complets d'été qui étaient nécessaires à un coopérant en ingénierie pour faire bonne impression auprès des hôtes du pays, surtout quand un de nos ministres se pointe, prétextant une signature quelconque pour s'offrir une semaine dans le sud.

La petite est retournée vers la carte en geignant quelque chose pour qu'on lui fasse recommencer son voyage. Elle se dandine contre le mur jusqu'à ce qu'elle puisse atteindre la marge de la mappemonde. Elle s'y suspend de tout son poids. Les crochets de la carte ne sont pas fait pour ça. Le monde entier lui tombe sur la tête.

Laurent la retrouve enveloppée dans le papier, avec plus de peur que de mal dans les larmes qu'elle hurle de toutes ses forces.

Quelques bagnoles abandonnées sont les seuls clients à se présenter aujourd'hui. Le parking trop vaste dessert un restaurant et, tout juste à côté, un petit garage. Ils ont l'air d'attendre qu'une autoroute passe enfin par là pour jurer moins fort dans la percée des terrains vagues.

— L'incendie, évidemment, raconte Philippe, ça a mis tout le monde à l'envers. Surtout qu'on n'a jamais pu trop savoir comment le feu avait commencé. Ce que les pompiers disaient, c'est que c'était un incendie criminel. Ça nous arrive plus souvent qu'à notre tour dans le quartier. Et Marc qu'on retrouvait pas! Susanna et Marc étaient chez Madeleine à ce moment-là. Ils ont tout perdu eux aussi. On retrouvait pas Marc, les filles paniquaient : s'il était dans la maison... Finalement, on le voit-tu pas qui se pointe tranquillement au bout de la rue! Monsieur était tout simplement allé se promener. Le pire, c'était de le voir là, tellement calme, tellement... Comme si l'histoire lui passait cent pieds par-dessus la tête, comme si ça le concernait pas... Un drôle de gars, Marc, un gars qui va vraiment pas mais on sait pas trop ce qu'il a. Une dépression, ça va, mais lui...

La salle est à peu près vide sauf quelques banquettes de vacanciers de la fin de semaine qui n'iront pas plus loin pour aujourd'hui. La serveuse revient vers eux après avoir servi Jeanne et Philippe.

— Ces derniers jours, j'ai à peu près rien mangé, explique Jeanne dans sa première bouchée pour s'excuser d'être aussi gloutonne.

Philippe se satisfait d'une bière.

— J'oubliais même Kathleen. Lawrence venait me mettre ses cris dans les bras et il s'en allait...

Elle prend une autre bouchée. Philippe continue.

— Laurent, lui, ce que je sais de lui, c'est ou bien qu'il a des choses dont il veut pas parler, ou bien il en a pas tellement plus long à raconter. Mais les enfants de sa soeur, ça, il m'en a souvent parlé. Enfin, souvent! Autant que ça semblait pouvoir m'intéresser...

— J'ai jamais pu trop comprendre, toi et les enfants...

— Pourquoi est-ce que tu voulais en plus un enfant de moi?

Philippe lâche ses mots avec une férocité blessée : le cri a été trop retenu pour ne rester qu'une plainte.

– Pourquoi de moi quand tu couchais avec les autres?

Ça devrait suffire pour qu'elle comprenne. Philippe n'attend pas de réponse.

– Depuis le temps, regrette-t-il avec une douceur qui s'excuse, la blessure peut plus s'ouvrir mais on peut pas se cacher nos cicatrices.

– Et mes cicatrices, à moi?

Jeanne a suspendu son geste à mi-chemin d'une nouvelle bouchée.

– Pourquoi est-ce que c'est pas mes histoires de cul dans la chambre du fond que tu prenais pas, lui retourne-t-elle, au lieu de chercher à prendre ce qu'on aurait pu faire ensemble?

Elle aussi doit serrer les dents sur ce qui lui est resté sur le coeur.

– Tu aurais pu me proposer autre chose qu'un enfant.

Philippe voudrait le dire plus calmement. La remontrance était toute prête depuis trop longtemps pour ne pas être articulée avec dureté.

– Quoi, par exemple? veut honnêtement savoir Jeanne.

– Continuer...

Mais Philippe hausse les épaules : qu'est-ce que ça donne?

– Continuer jusqu'où? Tu penses que ça aurait juste continué à rempirer? ravale-t-elle en mordant son sandwich.

– Peut-être, mais qu'est-ce qu'on fait là d'abord encore tous les deux?

Jeanne préfère se fâcher au lieu de répondre.

– Tu aurais pu me le dire avant qu'on dépaquette mes affaires.

— C'est pas ça que je veux dire, Jeanne. Ce dont je te parle, c'est du passé.

— Si c'est du passé, qu'est-ce que ça vient faire aujourd'hui, alors?

Elle ne veut pas faire le lien. Philippe reconnaît qu'il n'y a pas de réponse. Il reste de connivence avec la bouteille dont il pèle les lambeaux d'étiquette.

— Le nombre de couples qui durent comme ça sur un secret d'amour que leurs caresses flattent dans le sens du poil jusqu'à ce que le secret se retourne pour les mordre! Nous autres, la bête était trop docile, elle nous a pas déchirés... L'impuissance, câlice!... Les enfants!

Il relève enfin la tête pour offrir son sourire désabusé au monde entier.

— Comme si on n'avait rien changé depuis qu'on survit pour autre chose que la continuation de l'espèce! Et puis, il faudrait se croire trop beaux pour proposer à l'avenir de l'humanité des copies de nous-mêmes! Moi, les enfants...

Ce qu'il dit, ça ne vaut pour personne d'autre que lui...

— ... c'est la mort, la mienne qui vieillit au jour le jour devant moi. On n'est plus le boutte de toutte, c'est ça qu'ils nous disent, les enfants : qu'on n'a rien fait de nos vies et que c'est eux qui vont aller plus loin...

— Je peux encore me demander les raisons que je pouvais avoir de vouloir un enfant, réfléchit Jeanne.

Elle quête une gorgée à la bouteille de Philippe.

— L'explication est seulement arrivée après quatre heures de travail. Elle était toute congestionnée, en cris et en larmes, l'explication! Mais toujours pas de raisons. Avoir les raisons et avoir l'enfant, c'est pas juste neuf mois qui peuvent faire le lien.

— D'ailleurs, je me suis fait vasectomiser, répond Philippe.

Il étire le bras pour ramener la bouteille que Jeanne l'aide à finir trop vite.

— Ah bon! échappe Jeanne.

Elle reprend rapidement le geste où elle a suspendu sa surprise. Elle se ressaisit en allant chercher le paquet de cigarettes au bout de la table.

— C'est bien ton genre, ça, d'être aussi conséquent avec toi-même jusqu'à ce que tu puisses plus revenir sur ta position.

Philippe lui répond d'un sourire, comme s'il s'agissait d'un compliment.

Mais pourquoi? Ce que Jeanne a pu faire comme bout de chemin avec Philippe ne peut pas lui permettre d'être trop sûre de ce qu'il a pu y avoir auparavant dans le paysage de la personnalité de Philippe. C'est tout juste à peu près sans histoire jusqu'à ce qu'ils se rencontrent. Elle n'en sait pas tellement sur lui, sauf ce qu'ils ont vécu ensemble.

Quand on s'aime si fort à vingt ans, quand on a encore des boutons au visage qu'on montre au bonheur avec la crainte que lui aussi fasse des remarques sur la face qu'on lui fait, quand on vit déjà à deux alors qu'on ne sait pas trop quoi faire de sa propre peau, quand on a la vie devant soi sans savoir ce qu'on va en faire, il est difficile de remonter tellement plus loin pour découvrir ce qui fait son homme.

Quelque part, c'est peut-être à cause d'elle. Elle est prête à le concéder même si Philippe ne veut plus la voir insister à se trouver des torts. Mais on ne peut pas toujours savoir ce qu'on fait! Nul n'est censé ignorer la loi mais un couple, ça nous arrive sans règlements et on compose le livret d'instruction en même temps qu'on construit son modèle.

Jeanne allume sa Marlboro. Philippe se sert lui aussi à même le paquet.

– Et Madeleine?

– Quoi, Madeleine? Je lui ai pas dit.

Les mots roulent dans la fumée.

– J'en parle pas à personne. C'est un secret rien que pour moi, sur ma vie. Mon secret avec la mort. L'année passée d'ailleurs, quand tu es passée...

Jeanne est déçue de ne pas avoir été déjà dans la confidence.

– Toi non plus tu m'as pas dit que tu avais un enfant.

Ils sont quittes pour les cachotteries.

– Mais mon chum, lui, il le savait.

– ... Plus difficile à cacher, trouve Philippe en portant sa bière à ses lèvres : mais tu t'es pas demandé comment ça se faisait que, tout à coup, on avait enfin fait l'amour ensemble pour la première fois?

– On faisait l'amour, Philippe.

– Oui, à notre façon, notre homosexualité particulière comme on disait entre nous, sans le dire à personne d'autre évidemment. La honte, la mienne comme la tienne, hein?

– Je te l'ai dit souvent, Philippe, j'étais sûre que si tu allais voir ailleurs, ça marcherait...

– Ça commencé à marcher après ma vasectomie.

Philippe lui-même ne comprend pas trop pourquoi.

– Il y a des filles qui choisissent de se faire faire un petit sans le dire au gars ; moi, si je veux pas être père, ça concerne pas les filles ni personne.

C'est encore lui-même qu'il veut convaincre en s'offrant une longue gorgée.

– Et tout ce temps-là, fait-elle un peu déçue, en dessous de ça, tu as jamais essayé de savoir pourquoi?

Elle lui reprend la bouteille pour vérifier s'il en reste une dernière goutte.

— C'est peut-être à cause des enfants que tu es partie, par exemple? propose Philippe.

— Tu prends le mauvais bout du problème, là, se défend Jeanne.

— C'est le même problème d'un bout à l'autre, insiste-t-il doucement.

— Je suis pas partie rien que pour me faire faire un enfant, Philippe.

Elle redépose la bouteille avec un bruit qu'elle ne tente pas de retenir.

— Je le sais, Jeanne, concède Philippe.

Il est fatigué de mettre le doigt là où ça leur fait mal à tous les deux.

— Et j'espère bien! reprend-t-il avant qu'elle n'ait fini d'allumer une autre cigarette, parce que, personnellement, je trouve pas que ça serait une bonne raison, termine-t-il avec un sourire à trancher la question à belles dents.

— Mais pourquoi tu voulais un enfant de moi?

Il se le demande sincèrement depuis si longtemps...

— Pourquoi de moi alors que c'était pas possible?

— Peut-être parce que je veux toujours l'impossible. Ou bien ça nous donnait une raison de ne plus être ensemble, ça me déculpabilisait des aventures... Je sais pas, Philippe, je sais franchement pas, cherche-t-elle.

Elle retrouve le goût d'en sourire elle aussi en avançant un baiser par-dessus la table. Elle retient Philippe de s'en aller en lui chiffonnant les oreilles.

— Mais qu'est-ce que tu vas faire avec celle que je te ramène aujourd'hui?

— J'ai toujours dit...

Il se cite lui-même, amusé de sa propre constance morale.

— ... qu'un enfant qui m'arriverait par accident, je prendrais mes responsabilités...

— L'accident, tu t'es vasectomisé ce risque-là!

— Il me reste les responsabilités, envers toi...

— Mais des responsabilités qui se réveillent à six heures du matin, veut lui faire réaliser Jeanne ; mais Laurent?

C'est une condition qu'elle pose.

— Franchement, j'aime autant l'avoir dans le décor avec la petite, admet Philippe. Tu m'imagines tout seul à matin! Non... Mais j'ai une petite idée qu'on va trouver de la place pour tout le monde.

Son regard qui attend seulement qu'on lui fasse confiance, il le promène par-dessus l'épaule de Jeanne en faisant le tour du paysage de la journée qui continue d'être toujours aussi belle par les fenêtres du restaurant.

Son visage s'effondre.

— Jeanne...

Elle se retourne dans la direction où s'est figée son inquiétude.

L'homme a stoppé sa voiture devant celle de Jeanne. Il fait le tour de la remorque. Il revient en essayant d'ouvrir les portes de l'auto à coups de poings et à coups de pieds.

Jeanne se lève en tirant Philippe avec elle.

— Par là, chuchotte-t-elle.

Elle devine une sortie par les cuisines. Ils débouchent dans l'étroit passage entre les deux bâtisses, devant les toilettes du garage.

— Where is that bastard?

Elle cherche quelque chose dans les poches de son blouson. La porte à peine entrebaillée, Jeanne pousse Philippe dans les toilettes et elle verrouille derrière eux.

— Qu'est-ce qu'on fait?

Jeanne retourne toutes les poches de son jacket.

— Je l'ai mis dans le tiroir de la commode, comprend Philippe.

Le halètement du néon tente de rattraper le grésillement de sa lumière. Elle fait clignoter sa pâleur dans le regard glacé de Jeanne quand elle réalise que Philippe a fait les poches de ses secrets. Elle lance la veste en boule dans le lavabo.

On tente d'ouvrir leur porte. Philippe parvient à articuler vaguement quelque chose à travers le souffle qui lui manque.

– Occupé...

– Y'a rien là, s'excuse la voix avant de rentrer dans les toilettes d'à côté.

Un deux trois quatre coups de feu.

Jeanne et Philippe s'agrippent l'un à l'autre pour se réfugier dans le plus petit coin de la pièce, tassés entre le mur et la cuvette. Une auto repart en faisant crisser ses pneus. Des voix étonnées viennent briser le silence après un instant. Jeanne se dégage sans ménagement du corps de Philippe.

Des gens s'attroupent autour de l'auto. Le pare-brise et la vitre du chauffeur sont fracassés. Les balles ont déchiré le siège du conducteur. Les gens commencent à se raconter ce qu'ils ont pu voir. Des autos de police arrivent par les deux bouts du stationnement.

Jeanne et Philippe se laissent repousser par les agents qui libèrent la scène et s'éloignent avec les premiers badauds qui en ont assez vu.

Jeanne donne à Philippe une main qui n'arrête pas de trembler. Autrement, c'est une fin d'après-midi comme les autres dans le reste de ses gestes.

– Ça va?

Jeanne fait oui de la tête mais son sourire ne monte pas jusqu'à ses yeux.

...bientôt

Pour une surprise! Pendant que Susanna et Madeleine suivent Laurent, il en profite pour tasser les jouets qui sont dans le chemin.

– Ce que j'en sais, ils devraient être revenus bientôt...

Madeleine se montre curieuse de ce qui peut se trouver dans les boîtes qu'il reste à déballer autour des nouveaux meubles.

– Ça devait pas faire très longtemps que vous étiez parties à matin...

...dehors

Un deux trois quatre les coups de feu sonnent dans le bras qui serre précieusement sa mallette contre sa poitrine. Dans le coffre, Lawrence choisit un tournevis qui traîne parmi les outils graisseux.

Les vis rouillées des plaques s'effritent. Il doit tordre le métal pour arracher les plaques d'immatriculation américaines de sa bagnole. Autour, dans la ruelle, les odeurs d'urine se remplissent de mouches apesanties par la chaleur. Des tas d'ordures parfument les sorties de secours des magasins. Il y a un restaurant qui s'en offre tout un container grouillant d'une puanteur qui suinte des panneaux disjoints.

En ouvrant le couvercle, Lawrence voudrait pouvoir changer d'idée mais, malgré la grimace derrière ses lunettes, il s'oblige à enfoncer les plaques avec l'outil dans les restes trempés du midi

ses deux bagnoles qu'est-ce qu'il va dire un deux trois quatre retrouvées à Montréal tu parles non il ne connaît personne là-bas ne pas mettre les

flics sur la piste de Jeanne un deux trois quatre
mais les balles qu'ils vont analyser Colt .45 mo-
dèle réglementaire Vietnam et ils sauront bien
qu'il était dans l'armée qu'il possède un .45 le
même qui a tiré ces balles ils vont le savoir sa piste
n'est pas plus sûre non plus un deux trois quatre
merde personne de blessé rien que des trous quitte
pour la peur l'amende plus le droit de traverser
la frontière pendant un bout de temps ça il s'en
fout un deux trois quatre

Lawrence rejoint les passants de l'après-midi dans la rue Sainte-Catherine. Il se fond dans la foule, la valise entre les bras, avec juste un peu plus de sueur que les autres derrière ses lunettes. Au coin suivant, il entre dans une agence de location d'automobile.

...soudain

Dans l'autobus, la main de Jeanne continue de trembler sur la cuisse de Philippe. Son regard se vide de larmes. Elles glissent tout le long de ses joues sans aucun bruit, sans même un souffle, sans un clignement de plus.

Jeanne ramène doucement l'autre main jusqu'à ses lèvres pour tuer sa nervosité d'un grand coup de dents.

...dedans

Sous les néons écrasants du snack-bar, il n'y a que le patron planté à côté de la caisse, en train de passer la lenteur de l'après-midi devant les heures creuses de la télévision : n'importe quoi, de la lutte ou des quilles.

Derrière les reflets du décor qui se courbe dans ses lunettes, le regard de Lawrence a oublié la tasse sous son nez. Il la laisse retomber dans la soucoupe. Elle éclabousse l'arborite usé du comptoir

un deux trois quatre dans la main là-bas ça aurait été la mort il en a connu comme ça dont la main ne pouvait plus tenir le pistolet après avoir été obligés d'y aller de trop près tellement près qu'il y a du sang qui tache votre manche plus capables sauf une dernière fois ils arrêtent le canon de trembler en le serrant entre leurs dents et tout le battle-dress était éclaboussé cette fois un deux trois quatre

...aussitôt

En tournant le coin de la rue Dalcourt, Jeanne et Philippe s'arrêtent. Quelques autos rangées le long des murs laissent tout juste assez de place pour permettre aux autres voitures de passer.

Jeanne repart en courant de toutes ses jambes jusqu'à la maison. Sa jupe remonte haut sur ses cuisses à chaque envolée. Ses pieds déposent un bruit très léger dans les flaques de poussière sur les pavés.

...loin

Les lunettes remontées sur la tête, Lawrence se rafraîchit le visage devant le miroir de la salle de bains du restaurant. Il essaie de voir ce qu'il peut changer dans ses cheveux avec le peigne qu'il sort de la valise ouverte à côté de l'évier, sur le réservoir du bol de toilette. Au cas où un signalement...

Le .45 attend la suite. Un deux trois quatre il rabat avec une précaution nerveuse le chien resté armé depuis tantôt.

...souvent

Jeanne relève le cran de sureté de son Smith & Wesson. Elle l'arme.

Ils se sont installés tous les cinq dans le salon, sans un mot. Il n'y a que la petite pour gazouiller au centre du tapis, entourée de ses jouets. Adossée sous la tablette des traîneries, Jeanne regarde son automatique : en fin de compte, c'est inutile.

— Ça peut pas aller plus loin...

Elle désarme doucement son .38. Elle dégage le chargeur de la crosse.

— La police, proposerait Madeleine.

— Non, l'interrompt Jeanne.

Elle sort la balle engagée dans la chambre.

— Avec les témoins, son char est brûlé... Et de toute façon, à sa place, je le connais, je serais en train de vouloir rentrer au plus vite me cacher chez nous, ajoute-t-elle dans un commencement de sourire.

L'arme sous un bras, elle replace la balle sur les autres dans le chargeur qu'elle réinsère dans le pistolet.

Dans son fauteuil, Philippe la regarde avec insistance. Jeanne soupèse l'automatique en cherchant autour d'elle. Elle choisit de le ranger sur la tablette.

— Tiens, un autre bibelot pour tes poussières, offre-t-elle à Philippe en vérifiant du bout des doigts combien il en a laissé se déposer sur le rayonnage.

— Here are new friends, annonce-t-elle à Kathleen.

Elle s'avance pour lui présenter les deux jeunes femmes.

*pourtant cette enfant qu'est-ce qu'il en ferait tout
seul qu'est-ce qu'il ferait tout seul un enfant c'était
trop vite pour lui tout juste trois mois qu'ils se
connaissent mais il n'en a plus reparlé quand elle
lui a annoncé qu'elle était enceinte bon il n'en a
plus reparlé juste un peu plus de bière que d'habitude avec les amis son soir de congé et le lendemain il en était même content ce qu'il lui restait
de parenté l'a su dans la journée et le congé
suivant une bière de plus pour tout le monde sa
tournée les copains l'ont su aussi et ils savaint
qu'ils verraient de moins en moins Lawrence ils
étaient quand même vraiment contents de le revoir quand il y est retourné il y a quelques semaines ils n'ont pas trop compris ou ils n'ont rien
dit une famille comme si c'était trop demander il
veut la retenir il y tient sa fortune son enfant là
où elle fait un pas il se déchire là où Jeanne
marche il la perd et toutes les deux il était prêt si
elle lui laissait sa fille pas question l'amiable
impossible tout ou rien voilà il menace et il s'en
va s'enfuyant de ses propres menaces la petite
pleure à la voix de ses méchancetés il revient le
lendemain il espère ça recommence et il s'enfuit
de plus en plus tôt comme si les menaces le pres-
saient il ne fait même plus que passer à tous les
deux ou trois jours pour changer ce qu'il traîne
dans sa valise il travaille dans une autre ville et
quand il est passé hier la maison était vide complètement vide*

Lawrence pleure, tassé par terre dans le coin des
toilettes, la mallette serrée entre ses bras, le visage
tiraillé de détresse derrière ses lunettes impassibles.

On frappe discrètement à la porte.

— Ça va-tu là-dedans?

En se poussant contre l'humidité des murs gravés de cochonneries pas très reluisantes, Lawrence se remet sur ses pieds.

— It's O.K., I'm fine, I'm coming...

— Do you need a doctor? insiste la voix dans un accent laborieux.

— No, no, I'm just fine, I'm gettin' out of here, s'empresse-t-il de répondre en se faisant plus présentable pendant qu'il passe devant le miroir.

...enfin

Philippe et Laurent se rejoignent devant la maison. Le ronronnement d'une auto qui entre dans la rue fait sursauter Philippe mais elle ne fait que passer.

Il sursaute encore quand Laurent lui dépose ses mains sur les épaules.

— Moi, je lui fait confiance à Jeanne.

Philippe reconnaît qu'il devrait faire la même chose.

— Tu sais, la rénovation du deuxième...

Laurent attend que Philippe continue.

— Ça fait longtemps que j'avais dans l'idée de relier les deux étages, d'installer un escalier à l'intérieur.

— Ça serait beau. Une belle jobbe!

— Comme ça, on pourrait avoir un coin pour tous les trois... quatre : une place pour la petite aussi...

Il termine sa phrase en rentrant.

Le ciel s'éclaircit d'un dernier rougeoiement. La noirceur tombe entre les façades en pesant encore plus lourd sur la chaleur.

Lawrence continue de rouler. Les premiers lampadaires balaient son visage en accrochant leurs reflets aux larmes qui coulent derrière ses lunettes. Ici, le quartier est plus tassé qu'au nord de la rue Sainte-Catherine. La ville se referme sur Lawrence, le fait tourner en rond un deux trois quatre dans les culs-de-sac mal éclairés et les ruelles anonymes.

La carte est chiffonnée en boule dans le coin de la banquette. La sueur creuse une profonde tache sur sa chemise dans l'ouverture de son veston.

Il freine au milieu d'une intersection pour revenir s'arrêter au coin. De l'autre côté, c'est la maison de la photo. Il allume le plafonnier pour vérifier. C'est bien la même. De la lumière se devine au fond de l'appartement.

— Je me suis endormie avec elle, s'excuse Jeanne.

Elle rejoint la cuisine en clignant des yeux. Entourés des dernières miettes, on n'a laissé sur la table que les ballons où s'achèvent les bouteilles de Château Dépanneur.

— Va nous choisir de la musique, lui propose Philippe.

Il lui met un verre dans la main qu'elle tendait vers une essuyette.

— Tango! annonce-t-elle depuis le salon.

On approuve. Sur les premières notes, Susanna envoie balader son torchon au bout d'un grand geste. Volontaire du menton, elle respire un grand coup de seins avant de rejoindre son danseur. Madeleine choisit Laurent. Les deux couples remplissent la cuisine d'un moment d'Argentine.

Pendant que le bandonéon reprend son souffle, un verre se brise en avant. Philippe se précipite vers le salon en appelant Jeanne.

Elle retourne vers la porte d'entrée ouverte sur les lueurs des lampadaires qui font briller les bris de verre par terre. L'ombre de sa main droite s'allonge sur l'automatique.

En la rattrapant, Philippe voit, de l'autre côté de l'intersection, l'auto de laquelle Lawrence regarde Jeanne sans bouger de sous son plafonnier. Philippe la saisit dans ses bras pour la ramener avec lui à l'intérieur de la maison mais elle lui résiste sans ménagement. La colère dans ses yeux ne sait plus à qui s'adresser.

En montant dans l'auto, Jeanne butte sur la mallette. Elle la repousse contre Lawrence en gardant son pistolet braqué sur lui. Il n'a pas bougé depuis tantôt, les deux mains sur le volant. Il n'a toujours pas enlevé ses lunettes de soleil, malgré la noirceur. Jeanne s'y voit pointer l'automatique, les deux poings refermés sur la crosse.

Elle s'élance. Lawrence a juste le temps de reculer son visage pour laisser l'arme lui passer sous le nez et sortir par la fenêtre. Elle retombe sur le pavé en tournoyant dans un grincement de tôles jusqu'à la rampe du trottoir.

Jeanne ouvre la mallette. La photo, comprend-elle. Elle la glisse dans son corsage. Le .45 en-dessous, elle le dépose dans la main de Lawrence. La valise, elle la jette par la fenêtre de son côté.

— What do you want?
— Her.

Il désigne la maison d'un coup de tête.

— Not you, précise-t-il avec dégoût.
— I don't want no more trouble.
— You won't ever see us again.

Tout le monde attend Jeanne dans l'entrée. Elle passe à travers eux pour se diriger vers la pièce du fond. Laurent s'élance en courant pour la rattraper avant qu'elle ne rentre dans la chambre de Kathleen.

— Non!

Il doit l'empoigner solidement pour la retenir contre le mur.

— It's none of your business, hurle-t-elle. He wants his fuckin' daughter, he'll have her for god's shit! And all that mess is gonna be over!

Jeanne lui envoie une volée de coups. Laurent les encaisse en tiraillant pour l'empêcher de bouger.

Kathleen se réveille avec tout ce bruit. Quand Jeanne peut enfin l'entendre à travers ses propres cris, ses coups s'arrêtent. Elle enlace Laurent en cherchant à se protéger contre elle-même. Ils chavirent tous les deux par terre.

Les filles écoutent le vacarme qui s'arrête dans la cuisine, chacune dans un racoin du portique. Philippe traverse tranquillement l'intersection, les mains ouvertes pour montrer qu'elles sont vides.

Lawrence le suit du regard pendant qu'il vient prendre la place de Jeanne. Du bout du canon de son Colt, il remonte ses lunettes sur son front, le temps de soutenir un long regard de Philippe. Il ouvre la bouche, avec un geste qui voudrait que tout le monde se montre raisonnable. Lawrence fait retomber ses lunettes sur son nez en armant le chien de son .45. Philippe en a assez appris aujourd'hui sur le maniement des armes à feu : la détente n'est qu'à un doigt d'être dangereuse.

Les deux jeunes femmes se sont installées sur le trottoir. Philippe les fait rentrer avec lui en revenant à la maison. Laurent sort de la chambre avec Kathleen dans les bras. Il la remet à Jeanne qui s'est roulée en boule par terre. Une des manches de sa robe s'est presque détachée de l'épaule. Il conserve le revolver de la petite dans ses mains.

Philippe attend avec Madeleine et Susanna derrière le store de sa chambre, dans l'angle qui laisse voir le coin de la rue. Quand Laurent sort de la maison, ils le remarquent trop tard pour le retenir.

Laurent braque le revolver de la petite sur l'auto. Il se met à tirer sur Lawrence en imitant les détonations. Lawrence allume ses phares sur Laurent en redémarrant. Il avance à coups de faux départs afin de faire reculer Laurent dans la direction de la maison. Il ne cesse de tirer sur Lawrence. Rendu au milieu de l'intersection, Lawrence s'éjecte de la voiture qu'il laisse de travers dans le chemin. Il se précipite sur Laurent qui l'attend en continuant de le viser. Lawrence doit batailler ferme pour lui retirer l'arme de Kathleen. D'un coup de crosse au visage, Lawrence finit par envoyer Laurent s'affaler entre deux voitures. Emporté par son élan, Lawrence échappe son pistolet. L'arme va rejoindre celle de Jeanne au bord du trottoir.

Lawrence braque le jouet vers les trois qui attendent de nouveau dans la porte d'entrée. Il reprend le jeu de Laurent dans leur direction pendant qu'ils laissent passer Jeanne qui arrive avec Kathleen dans les bras.

Elle s'avance sur le trottoir jusque sous le halo d'un lampadaire. La petite s'occupe à tirer sur la manche qui dénude l'épaule de sa mère. En se retournant, elle découvre Lawrence, juste le temps de se réfugier en pleurant peureusement dans le cou de Jeanne.

Lawrence s'effondre devant le geste de sa fille. Il se remet à faire feu. Secoué par ses pleurs, il rabaisse doucement le jouet pour le mettre dans une poche de son veston avant de s'éloigner par le milieu de la rue.

Laurent l'attendait entre les autos. Il se jette sur lui. Ils roulent dans la rue. Lawrence ne tente plus d'éviter les coups. Jeanne supplie Laurent de laisser tomber.

Les deux hommes se remettent sur pied. Sans plus porter aucune attention à ce qui se passe derrière lui, Lawrence reprend son chemin.

Laurent revient vers la maison en se tâtant le nez et les lèvres. Des filets de sang soulignent la douleur qui le fait grimacer. Il s'arrête devant les automatiques.

Jeanne lui indique une bouche d'égoût où il n'a qu'à les pousser avec son pied.

...toujours

Jeanne se laisse laver par les deux filles sous la douche. Elle s'abandonne mollement à leurs gestes dans la connivence du silence. On la pare, on la prépare, elle se laisse faire : ses deux odalisques s'occupent de tout, elles comprennent sa fatigue. La vapeur les enveloppe d'odeurs épaisses et moites : savon, parfums, à peine quelques mots : penche-toi, lève-toi...

Se laver comme s'il y allait de sauver sa peau...

Laurent rejoint Philippe sur le trottoir en se soignant les lèvres et un oeil avec une compresse.

Philippe est assis sur la marche qui donne sur le ciment, une bouteille de vin entre les jambes. Il la tend à Laurent qu'il devine dans la porte derrière lui.

— Ça va?

— Ça paraîtra plus après une couple de jours.

Après une gorgée à même le goulot, Laurent s'assoit à l'autre bout de la marche. Une auto s'amène dans la rue. Elle freine à la dernière minute pour ne pas heurter l'autre bagnole tous feux éteints au beau milieu de l'intersection.

— C'est qui le cave qui laisse son char de même? crie le chauffeur en s'adressant à Philippe.

Il lui fait signe qu'il le sait-tu, lui!

L'autre doit manoeuvrer pendant un bout de temps afin de contourner la voiture.

Philippe redonne la bouteille à Laurent après une autre gorgée.

— Merci Laurent, fait Philippe, pour tout ce qui s'est passé.

— Merci Philippe, lui sourit Laurent en ramenant ça à la seule importance de la bouteille.

Madeleine est revenue dans le cadre de la porte. Des mèches de cheveux mouillés lui balaient les épaules. Des coins de peau mal essuyée collent au travers de sa robe.

— Je vais aller chercher des verres...

— Deux : je rentre, moi, annonce Laurent en s'offrant une dernière goulée.

Susanna est penchée au-dessus du lit de Kathleen qui s'est rendormie. Elle n'a remis sur le dos qu'une longue blouse qui lui descend sur les cuisses.

— Où est-ce qu'on va dormir, nous autres?

Elle ne se retrouve plus dans le bardas que l'arrivée de la petite a fait dans la chambre de Laurent.

— Tu restes à soir?

Il le sait mais c'est autre chose qu'il demande.

— Si tu as de la place, se regimbe Susanna.

Comme si la fille pouvait s'arranger quand même...
Elle voudrait serrer Laurent très fort mais il rechigne.

– Je dois avoir des bleus plein les côtes...

Susanna l'amène s'asseoir sur le lit en lui retirant sa chemise pour vérifier ce qu'elle peut faire.

– Tu sais, avec Marc..., commence-t-elle.

Elle repère les premières ecchymoses avec son doigt.

– ... ça ferait notre huitième année qu'on s'est installés ensemble, en se disant que la fidélité était rien que la plus dégradante des manifestations de l'idéologie capitaliste propriétaire bourgeoise dans la politique de nos vies privées...

Elle éclate de rire en s'écoutant répéter la rengaine.

– C'est pour ça que tu restais pas les autres soirs, comprend Laurent.

– Un couple révolutionnaire professionnel de la libération sexuelle, continue Susanna, mais pour passer de la théorie à la pratique, on a pas été Lénine ni l'un ni l'autre...

Philippe et Madeleine se sont assis l'un contre l'autre.

– Toi qui veux pas d'enfants! s'étonne-t-elle.

– Ben... C'est Jeanne.

C'est la seule explication.

– Comme ça, reprend Philippe, vous avez passé la journée ensemble, Susanna et toi. Ça faisait longtemps que vous aviez pas fait ça...

— Qu'est-ce qui va se passer en attendant que vous ayiez arrangé ça, sur les deux étages, comme tu l'expliquais au souper?

— Laurent peut pas aller de temps en temps chez Susanna? C'est vrai qu'avec Marc dans le décor...

Madeleine fait signe de ne pas compter là-dessus pour le moment.

— Susanna vient de laisser Marc et l'appartement avec...

— Il était quand même un peu temps... Tu m'inviteras, toi, trouve Philippe pour ne pas se laisser prendre au dépourvu.

— Eh! Ça va être une vraie commune, à la fin, cette histoire!

— As-tu couché avec Jeanne depuis que vous vous êtes séparés?

Philippe attend un peu, pas tellement pour trouver quoi répondre mais pour se laisser le choix des mots les plus justes.

— Oui, ça nous est arrivé comme ça, le temps qu'on se sépare justement : des soirs de tendresse quand elle passait, juste peut-être pour aller voir, en passant, jusqu'au bout du plaisir qu'on avait pu trouver à être ensemble pendant tout ce temps-là.

— Depuis qu'on se connaît?

— ... Oui...

Il s'oblige à être franc.

— Elle est passée me voir à un moment donné, l'année passée...

Elle ne peut pas en être vraiment étonnée.

— Je pense que je l'aime beaucoup moi aussi.

Elle se blottit dans les bras de Philippe.

— Philippe, j'ai quelque chose à... à te dire...

Un conducteur endormi a tamponné l'auto. Ça cherche et ça gueule encore au coin de la rue. Philippe et Madeleine sont rentrés. Dans la maison, tout est endormi.

— Je pense qu'elle est couchée.

Mais où? Le salon est vide.

— Et les autres?, chuchote Madeleine.

Il est trop tard pour chercher à en savoir plus long que le haussement d'épaule de Philippe.

Ils réveillent Jeanne en allumant la lumière.

— Allô...

Elle les reçoit en clignant des yeux. Elle s'est installée confortablement dans le lit de Philippe, nue, la douillette inutile à ses pieds.

— Quelle heure qu'il est, là? Je me suis dit, en attendant... J'étais pas mal fatiguée... On s'arrangera quand ils vont rentrer. Je vais aller sur le sofa, propose-t-elle.

Elle attend, le temps qu'on s'arrange.

— Le lit est assez grand pour bien dormir tous les trois, choisit Madeleine en retournant sa robe par-dessus sa tête.

Philippe reste sur place, sur un pied, sur l'autre, les mains derrière le dos.

— Elle est enceinte.

L'étonnement de Jeanne hésite à sourire.

Laurent et Susanna se sont endormis avec la petite installée entre eux. Elle tiraille de ses poings malhabiles les cheveux de Laurent.

...ailleurs

Les mains dans les poches, Lawrence marche le long de l'autoroute. Des âmes charitables ralentissent mais, à bien y penser, repartent avec un crissement d'inquiétude en dérapant sur le gravier de l'accotement. Lawrence les laisse prendre toute l'avance qui les presse dans la direction du lendemain qui commence à bleuir à l'autre bout de la nuit.

Aussi

Philippe se glisse dans la baignoire, fourbu. Il regarde le travail qui reste à faire dans la nouvelle salle de bains. La quincaillerie est installée. Il reste à tirer les joints, peindre, trouver le rideau de douche, et la porte qu'il va falloir raboter généreusement pour qu'elle reprenne sa place dans le cadre où on s'est contenté de l'appuyer en attendant.

Jeanne rentre en se cambrant le dos. Sa chemise de grosse toile est hérissée de longues échardes de bois.

— On a fini de poser la fenêtre, patron. L'hiver peut arriver.

Philippe ouvre et referme ses mains pour redonner de la souplesse à ses articulations.

— Fatigué, hein? demande Jeanne.

— C'est très gentil de m'avoir remplacé pour finir, merci.

Jeanne enlève ses vêtements qu'elle empile avec ceux de Philippe dans le lavabo.

En se glissant entre les jambes de Philippe, elle murmure tout le réconfort que l'eau chaude fait rentrer dans ses muscles. Avant de s'installer complètement, elle s'étire chercher deux cigarettes.

— J'en ai pas parlé, l'avertit Philippe en soufflant sa première bouffée.

— Philippe, sacrament! Même si on pensait juste à toi là-dedans...

Mais Jeanne ne finit pas sa phrase : il n'en fera qu'à sa tête de toute façon.

— Le premier soir, il était trop tard! explique-t-il calmement.

— Christ! Il est pas de toi cet enfant-là! Au moins pour elle, qu'elle le sache... C'est pas de mesurer à qui la faute : c'est juste une question d'honnêteté.

— Je m'imagine tout le mal qu'elle se donne, c'est déjà assez : pas besoin de la rachever. S'il y a de l'honnêteté quelque part qui a manqué, c'est de mon côté. Et si, là, tout ça fait boule de neige, je suis le premier à le savoir, et on est les seuls, la prévient-il. C'est à moi de la rattraper : je veux surtout pas d'avalanche.

— Mais elle aussi, elle aurait dû te parler d'une aventure, comme ça...

Pour Jeanne, ce n'est pas si grave après tout...

— Elle le sait, Jeanne, que je serais le dernier à faire un drame avec ça. Elle le sait que j'en ferais pas non plus si elle me disait qu'elle est même pas sûre qu'il est de moi ou de l'autre...

— Tu ferais pas de drame mais qu'est-ce que tu ferais avec ça?

— Ça serait quoi la différence avec ce que j'en fais là? En effet! Elle est obligée de l'admettre.

— Pourquoi est-ce que tu acceptes ça?

— On a décidé à vingt ans de prendre la vie comme elle passait et surtout de rien laisser passer, même si ça passe mal, et qu'on peut pas toujours avaler: c'est pas à trente ans qu'on va changer ça!

— Why not?

— Je le sais pas plus que quand j'acceptais notre histoire, lui retourne Philippe. Si je sais pas pourquoi j'accepte de mon côté, comment est-ce que je pourrais lui demander qu'elle me donne des raisons de son côté? Qu'est-ce qu'on cherche, hein?

— Qu'est-ce que tu cherches à te prouver? Comme flower power trip émotif, c'est le pot que tu es en train de te casser sur la tête, Philippe! C'est fini, là, «l'amour unit le monde...» : c'est ça que tu essaies de rénover avec toute la cabane avec?

— Et toi : c'est là-bas ou en revenant ici que tu as trouvé ce que tu cherchais?

— J'essaie pas de me faire accroire que j'ai trouvé quelque chose. Je le sais pas mais j'ai fait du chemin en tout cas. Je sais que toute ma vie m'a partir sur des nowhere mais quand c'est pour arriver nulle part, on peut juste aller plus loin. On a fait des grandes mailles dans nos macramés émotifs mais toi, tu es en train de te prendre dedans. Je sais bien trop que c'est pas une solution de s'en aller, que rendu au bout de sa corde, on peut juste s'accrocher après pour revenir d'où on est parti. Mais ma corde, je la mets pas en plein dans le chemin de ma vie pour m'enfarger dedans à chaque fois que je passe. Un jour, tu seras plus capable de te ramasser.

— C'est beau ce que vous avez fini.

Madeleine arrive en se dandinant derrière sa bedaine qui lui déborde de l'imperméable.

— Le camion est arrivé, s'excuse-t-elle, et avec les affaires de Susanna, ça fait tout un voyage...

— Une chance que j'ai bien de la corde pour me rendre au bout, lance Philippe en reprenant sur sa fatigue.

— Des bras, des bras! force la voix de Laurent dans le branle-bas qui s'accroche dans les portes en bas.

— Un coup de main, ça te va? lui crie Philippe en sortant du bain.

— O.K. mais ça va-tu être pour aujourd'hui? répond la voix de Susanna.

— On arrive! les fait patienter Jeanne en attrapant une serviette.

Assez

Jeanne s'est installée dans la chambre de Philippe. Kathleen est chez Laurent. Les couples sont en haut. Il y a des salons pour tout le monde sur chaque étage, deux cuisines et deux salles de bains.

Kathleen a grandi d'une année. Dans une des nouvelles chambres du dessus, elle regarde entre les barreaux du lit un autre enfant tout jeune qui y dort.

Susanna et Madeleine la rejoignent au-dessus du bébé.

— Et maintenant? demande Susanna.

— Il a pas les yeux de Philippe, non? La forme des bras, les oreilles... Mais les jambes, c'est moi.

Elles amènent leurs tasses de café au salon de l'étage. Les meubles sont ceux de Madeleine; les tableaux sont ceux qu'il y avait chez Susanna.

— Et puis? demande-t-elle en attendant la suite.

Madeleine prend la peine de s'asseoir.

— Il a dit : c'est vrai qu'un enfant tout seul, ça a pas de bon sens et on s'est réenlignés tout de suite pour la deuxième version!

— Babybadaboum!, s'exclame Susanna en se laissant tomber à son tour dans un fauteuil.

— Et toi?

— Laurent en a assez pour jouer au papa comme ça, tu trouves pas?

— Je pense que ça va pas très fort vous deux.

Susanna se lève.

— Pas surprenant que tout se sache avec la gagne qu'on est autour de nos intimités. Pourtant, c'est assez grand ici! On dirait que ce que je veux faire de ma vie, moi, on dirait que c'est difficile de faire ça dans la même maison qu'un homme... Quand je lui ai parlé juste comme ça, à savoir qu'est-ce qui se passerait si j'amenais quelqu'un dans *ma* chambre... Au lieu de vouloir savoir pourquoi, c'est juste le nom qu'il voulait que je lui donne...

— C'est qui? demande Madeleine avec une curiosité gamine.

— C'est personne... C'est juste l'idée que... Enfin, c'est personne que personne connaît ici... Pour une fois!

Elle s'installe sur l'allège d'une fenêtre.

— Est-ce que c'est vraiment ce que tu veux?

Madeleine a le ton de ces femmes à qui il suffit de faire un enfant pour croire qu'elles ont refait le monde.

— Je le sais-tu ce que je veux, moi! Juste pas passer par-dessus ce qui reste de mes trente ans...

— En tout cas, moi, il me viendrait même plus à l'idée de rien faire avec Laurent : j'ai eu assez chaud comme ça!

Madeleine le dit avec une pointe de fierté, avec ce petit regard avec lequel on admet que, nous aussi, on a fait des folies dans notre jeunesse et ainsi de suite jusqu'à la petite banlieue et la petite retraite et patati patata...

– De toute façon, le problème se pose pas, se fâche Susanna : toi, tu l'as jamais revu ton... Tiens, il s'appelait comme Laurent?

L'air de Madeleine dénonce le reste. Ça s'écroule sur les petits conformismes dont elle brandissait trop haut l'étendard.

– Madeleine!

– Je trouvais que j'avais assez l'air folle comme ça! Avec Laurent en plus!

Susanna ne l'accepte pas, mais vraiment pas, ni la manigance, ni Laurent, ni Madeleine.

– Vous êtes deux beaux tabarnaks vous autres!

Elle se retrouve toute seule devant la tournure que prend leur histoire.

– Laurent, il le sait pas plus, lui crie-t-elle dans un chuchotement étouffé. Susanna! c'est un secret qui a pas fait plus de mal à personne que l'autre morceau et la page se tourne en même temps sur les deux, et puis tu étais pas encore avec Laurent...

– C'est pas un secret, c'est une menterie! Calvaire, Madeleine! Où est-ce que tu mets la confiance dans notre histoire, et avec Philippe et toi? Et moi? Et Laurent? L'honnêteté? Moi, je les mets avant tout, même si c'est pour prendre une débarque dedans. Il y a pas rien que l'amour, hostie! Il y a la vérité. Qu'est-ce qui se passe?

Elles s'élancent toutes les deux vers le bruit d'en bas.

Jeanne cherche Kathleen au rez-de-chaussée.

— ... Elle est en haut avec le bébé et les filles.

Laurent en revient justement.

— Bon dieu! T'es-tu vu l'air, Laurent?

Depuis l'an dernier, il n'a plus coupé ses cheveux, ni sa barbe. Il porte de vieux jeans qu'il a sortis de ses valises de la grande époque granola, et une chemise tout aussi rapiécée, un fantôme des années soixante-dix, avec même la breloque de verroterie et de perles de poterie enfilées sur un lacet de cuir autour du cou.

Jeanne n'espère même pas l'entendre donner toutes ses bonnes raisons, que c'est toujours bon ce linge-là, qu'est-ce qu'il en a à foutre des modes, qu'il n'a pas les moyens de se payer de nouveaux morceaux...

— Philippe, lui, tu l'as vu?

— L'auto est pas là. Il doit en avoir profité de bonne heure à matin pour aller chercher ce qui manquait pour finir le rebardoisage.

Il retient Jeanne avant qu'elle ne monte à son tour.

— Jeanne, qu'est-ce que tu ferais si Philippe voulait faire venir une autre fille, un soir, ici?

Elle baisse le ton comme le fait Laurent.

— Pour ma part, Madeleine peut passer tous les soirs qu'elle veut avec Philippe, ça me fait pas un pli! Mais si c'est d'une autre fille que tu parles, c'est à Madeleine que tu devrais demander ça.

Ce n'est pas ça qu'il veut dire...

— C'est Susanna?

— Non... Comment tu le sais?

— De quoi tu penses qu'on parle, les filles, quand on prend un bain ensemble : de vous autres, les gars, et on rit beaucoup!

— Tu le connais?

— Qui?

— Niaise pas : celui que Susanna a rencontré.

Il entraîne Jeanne vers le salon.

– Tu viens de me dire que tu le savais. On est des amis, tu aurais dû m'en parler.

– Susanna aussi, c'est une amie.

C'est la seule explication pour Jeanne.

– J'ai autre chose à faire, Laurent.

Elle veut pas s'en mêler pour le moment.

– Qu'est-ce que tu sais?

– Je le sais-tu, moi!

Laurent la tire durement vers lui. Il la relâche aussitôt sur la claque qu'elle lui ramène.

– Touche-moi jamais comme ça, Laurent.

Penaud, la main qui protège sa joue rougie remonte effacer le clignement des yeux qui retient ses larmes. Jeanne décide de rester : lui aussi, après tout, oui, c'est un ami.

– Je comprends pas. On est bien tout le monde ici. On s'est bâti de quoi de plaisant à vivre depuis un an. Tu le dis et Philippe aussi : c'est peut-être comme si on retournait dans le rêve des années soixante-dix mais cette fois-ci on va éviter que ça tourne du mauvais bord du rêve.

Jeanne l'écoute en feuilletant l'album de photos qui traîne (comment ça se fait d'ailleurs qu'il traîne là? ça doit être Kathleen qui l'a sorti...) sur le buffet.

– Moi, je trouve que c'est un très beau rêve qu'on s'est bâti, et c'est pas un rêve : rien que la maison, c'est devenu un château, non! Pourquoi Susanna voudrait revenir en arrière et reprendre ses histoires décousues? Elle veut respirer... Elle doit te le dire à toi aussi? Ça nous fait une famille, avec ta fille et l'autre. Et Philippe et Madeleine...

Il saura la convaincre qu'il n'est pas le seul à penser comme ça...

— ... ils sont même partis pour en faire un autre, tu sais?

Jeanne ne l'écoutait plus mais, sur ce qu'il vient de lui apprendre, elle comprend qu'elle doit continuer de chercher de pages en pages dans l'album.

— C'est pas vrai qu'on en revient au macramé comme tu dis : vous êtes bien pareilles! Qu'est-ce qu'elle peut bien vouloir fuir encore? Arrête de tourner les pages de ton bon vieux temps puis réponds-moi, sacrament!

Jeanne fait non en regardant par la fenêtre de la rue Sainte-Rose. Elle fracasse la vitre de ses poings refermés sur l'album.

L'autoroute. L'autoroute s'en vient, plein pare-brise. À toute vitesse, trop vite. Le paysage fait frémir un rugissement de désastre dans les tôles. Plus vite.

Sur le tableau de bord, dressés contre la vitre où s'écrasent les moustiques du décor, Philippe a aligné les polaroïds de Jeanne, avec Lawrence à ses côtés, devant leur maison mobile.

Un mauvais coup de vent les fait voler dans la cabine.

Achevé d'imprimer en juillet 1990
à St-Félix de Valois
chez Ginette Nault et Daniel Beaucaire